VOS AUTOCOLLANTS À COLLER UNE FOIS VOTRE MISSION ACCOMPLIE

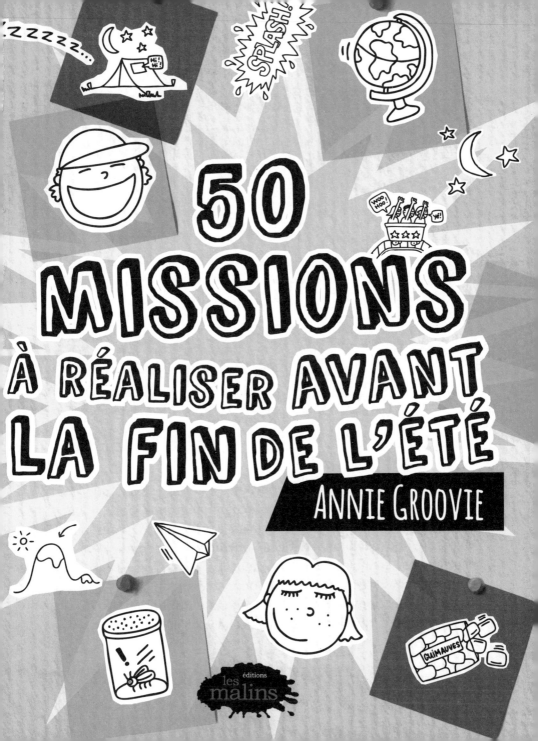

INTRODUCTION

Il vous arrive de tourner en rond et de ne pas savoir quoi faire ? Comme les vacances d'été approchent à grands pas, je vous ai déniché quelques missions spéciales à accomplir... Vous aimeriez vivre de nouvelles expériences, affronter vos peurs, élargir vos connaissances, ou tout ça à la fois ? Eh bien, ce livre a été conçu non seulement pour combler vos temps morts et vos pannes d'inspiration, mais aussi pour vous inciter à bouger et à vous dépasser.

Peu importe que vous viviez à la campagne ou en ville, que vous soyez un garçon ou une fille, de type sportif, intellectuel ou artistique, que vous veniez d'une famille riche ou non, ces missions ont été soigneusement pensées pour convenir à chacun d'entre vous. Autrement dit, pour apprécier pleinement ce bouquin, il faut juste être curieux, aimer s'amuser et relever des défis.

Et si vous avez peur de manquer de temps pour accomplir toutes ces activités, n'oubliez pas qu'elles peuvent être combinées. Par exemple, vous pourriez commencer votre journée en capturant un insecte pour l'observer, organiser ensuite une bataille de ballounes d'eau entre amis, goûter à un nouvel aliment au souper, vous faire griller des guimauves en soirée et, avant de vous endormir, veiller tard dans une tente après avoir aperçu une étoile filante !

Enfin, il se peut que vous ayez déjà réalisé une ou plusieurs des missions proposées. Si c'est le cas, tant mieux, vous partez avec une longueur d'avance ! À moins que vous ayez envie de les refaire... Pourquoi pas ! Bon ! Fini le blabla ! Vous êtes prêt à accomplir votre première mission ? Il n'y a pas de temps à perdre, parce que les vacances, ça passe vite !

BONNE CHANCE !

AnnieGroovie xx

PETIT MODE D'EMPLOI

COMMENT ÇA FONCTIONNE ? C'EST SIMPLE.

ÉTAPE 1

Vous devez d'abord réaliser une des 50 missions proposées dans ce livre (celle que vous voulez).

ÉTAPE 2

Une fois la mission complétée, apposez fièrement l'autocollant « Mission accomplie » à la fin du livre.

ÉTAPE 3

Afin d'immortaliser ce moment, remplissez les cases (ou lignes) de la page de droite en y racontant comment s'est passée la réalisation de l'activité. Ça vous fera de beaux souvenirs, et ce sera la preuve officielle que vous avez bien accompli votre mission ! Voilà ! Il ne vous reste plus qu'à répéter ces 3 mêmes étapes pour chacune des autres missions !

Évidemment, je ne serai pas là pour vous surveiller et m'assurer que vous avez bel et bien relevé chacun des défis proposés... ☺
Mais après tout, c'est pour vous que vous le faites, pas pour moi !

Conseil d'amie : Gardez toujours ce bouquin à portée de main, on ne sait jamais quand l'occasion pourrait se pointer de réaliser l'une ou l'autre de ces 50 missions ! Et surtout, amusez-vous !

4

PRÉSENTATION
DU PARTICIPANT

Ce carnet de missions appartient à :

VOTRE NOM ICI

Moi,   VOTRE NOM ICI

m'engage à remplir ce carnet le plus honnêtement possible et à tout faire pour accomplir un maximum de missions. Je promets d'être prudent et de demander de l'aide si j'en ai besoin. Car malgré que ces missions ne comportent aucun danger réel, l'auteur ne voudrait surtout pas se sentir responsable si un malencontreux accident survenait ! OK, là ?

Signature :

Date :

PAR OÙ COMMENCER ?

L'ordre dans lequel vous accomplirez vos missions a peu d'importance. En fait, le but est d'en réaliser un maximum ! Alors, soit vous suivez l'ordre des pages (voir la liste complète des missions aux pages 142-143), soit vous y allez au hasard ou selon votre humeur ou même votre personnalité, en vous référant aux différentes catégories suivantes :

VOUS AVEZ ENVIE DE PRENDRE L'AIR ET DE VOUS DÉGOURDIR LES JAMBES ?

- MISSION 3 : Capturer un insecte pour l'observer
- MISSION 14 : Gravir un mont ou une montagne
- MISSION 16 : Organiser une bataille de ballounes d'eau
- MISSION 17 : Construire un château de sable
- MISSION 32 : Trouver un trèfle à quatre feuilles
- MISSION 34 : Faire bondir un galet à la surface de l'eau
- MISSION 42 : Pédaler, courir ou patiner le plus longtemps possible
- MISSION 47 : Faire un plongeon explosif
- MISSION 48 : Traverser un pont à pied

VOUS VOUS SENTEZ BRAVE, PRÊT À AFFRONTER N'IMPORTE QUOI (OU PRESQUE...) ?

- MISSION 5 : Lire un livre de 300 pages ou plus
- MISSION 6 : Vaincre une peur
- MISSION 14 : Gravir un mont ou une montagne
- MISSION 21 : Vivre des sensations fortes
- MISSION 42 : Pédaler, courir ou patiner le plus longtemps possible
- MISSION 46 : Faire 25 push-ups

UN PEU D'ÉMERVEILLEMENT VOUS FERAIT DU BIEN ?

- MISSION 2 : Voir une étoile filante
- MISSION 3 : Capturer un insecte pour l'observer
- MISSION 4 : Découvrir un coin de pays

- ○ MISSION **13** : Visiter un musée
- ○ MISSION **14** : Gravir un mont ou une montagne
- ○ MISSION **27** : Assister à un feu d'artifice
- ○ MISSION **30** : Voir de près un animal exotique ou particulier
- ○ MISSION **45** : Admirer un lever ou un coucher de soleil

VOUS ÊTES PARTICULIÈREMENT INSPIRÉ ET AVEZ LE GOÛT DE CRÉER ?

- ○ MISSION   **8** : Composer une œuvre littéraire
- ○ MISSION **12** : Jouer un bon tour sans vous faire prendre
- ○ MISSION **17** : Construire un château de sable
- ○ MISSION **22** : Redonner du style à un vieux vêtement
- ○ MISSION **35** : Concocter votre propre recette de popsicles
- ○ MISSION **39** : Jouer un air sur des verres
- ○ MISSION **40** : Réaménager votre chambre

VOUS ÊTES CURIEUX ET AIMERIEZ ÉLARGIR VOS CONNAISSANCES ?

- ○ MISSION   **4** : Découvrir un coin de pays
- ○ MISSION   **5** : Lire un livre de 300 pages ou plus
- ○ MISSION   **9** : Goûter à quelque chose de nouveau
- ○ MISSION **10** : Apprendre des mots dans une langue étrangère
- ○ MISSION **13** : Visiter un musée
- ○ MISSION **26** : Essayer une activité qui ne vous attire pas
- ○ MISSION **30** : Voir de près un animal exotique ou particulier
- ○ MISSION **44** : Créer l'arbre généalogique de votre famille

VOUS AVEZ ENVIE DE VOUS AMUSER ENTRE AMIS ?

- ○ MISSION   **1** : Dormir dans une tente
- ○ MISSION   **3** : Capturer un insecte pour l'observer
- ○ MISSION **11** : Créer une œuvre en origami
- ○ MISSION **12** : Jouer un bon tour sans vous faire prendre
- ○ MISSION **14** : Gravir un mont ou une montagne
- ○ MISSION **16** : Organiser une bataille de ballounes d'eau
- ○ MISSION **17** : Construire un château de sable
- ○ MISSION **19** : Vous faire un ou plusieurs nouveaux amis
- ○ MISSION **26** : Essayer une activité qui ne vous attire pas
- ○ MISSION **28** : Faire du beurre
- ○ MISSION **22** : Redonner du style à un vieux vêtement
- ○ MISSION **21** : Vivre des sensations fortes
- ○ MISSION **24** : Veiller tard

VOUS DÉSIREZ VIVRE QUELQUE CHOSE DE DIFFÉRENT ?

VOUS ÊTES D'HUMEUR ZEN ET PLUTÔT PATIENT ?

VOUS N'AVEZ VRAIMENT PAS LE GOÛT DE SORTIR ?

Et si vous avez juste envie de ne rien faire, eh bien,
fermez ce livre et reposez-vous !

Vous y reviendrez plus tard !

ATTENTION
VOUS ÊTES
PRÊT ?

TOUNEZ LA PAGE ⇨ ⇨ ⇨

1 DORMIR DANS UNE TENTE

Pas besoin d'aller se cacher au fin fond des bois pour dormir dans une tente... Vous pouvez tout aussi bien camper chez vous ! (Euh, dehors, bien entendu ! Même si vous avez un grand salon...) En plus, c'est pratique : si l'envie de pipi vous prend pendant la nuit, vous aurez facilement accès à une vraie toilette !

Conseils d'amie : Montez la tente vous-même, ça fait partie du trip et ce n'est pas si compliqué. Invitez quelques amis à se joindre à vous : après tout, camper, c'est plus le fun en gang ! N'oubliez pas votre lampe de poche, quelques grignotines et des histoires croustillantes à vous raconter quand il fera bien noir...

Détails pas nonos du tout : Assurez-vous que la météo soit de votre côté pour cette nuit-là, et pensez à prévenir vos parents que vous dormirez dehors. Ils pourraient avoir la peur de leur vie en trouvant votre lit vide !

DATE DE LA MISSION :

jour   mois   année

CONDITIONS MÉTÉO :

○ ☀   ○ 🌤   ○ ☁   ○ 🌧   ○ ⛈

LIEU DU CAMPEMENT : _____

COMPLICES : 1. _____
               2. _____
               3. _____
               4. _____
               5. _____
               6. _____

IMPRESSIONS ? ANECDOTES ? _____

_____

_____

_____

_____

_____

_____

À REFAIRE : ○ SANS FAUTE   ○ PLUS JAMAIS   ○ POURQUOI PAS

11

② VOIR UNE ÉTOILE FILANTE

Vous savez ce qu'on est sensé faire quand on voit une étoile filante traverser le ciel ? Eh oui, on doit faire un vœu ! Et même si rien ne garantit qu'il va se réaliser, ça ne coûte pas cher d'essayer, non ? Tout à coup que...

Pour augmenter au maximum vos chances d'apercevoir une étoile filante, il y a certaines conditions à respecter. D'abord, la période de l'année. On dit que c'est entre le 20 juillet et le 25 août (plus particulièrement les **11**, **12** et **13 août**) que les étoiles filantes sont le plus nombreuses. Ensuite, pour mieux les voir passer, il doit faire bien noir. Alors, si vous habitez en ville, là où il y a beaucoup de lumières le soir, l'idéal serait de vous en éloigner le plus possible. Si vous avez un chalet en campagne, genre, c'est parfait !

Il ne vous reste plus qu'à trouver un endroit confortable pour vous étendre... et à attendre. Cette mission mettra sûrement votre patience à l'épreuve ! Surtout, gardez les yeux bien ouverts et fixés en tout temps vers le ciel, vous finirez bien par en voir passer une ! **BONNE CHANCE !**

Note : La rumeur prétend que si l'on révèle un vœu, il ne se réalisera pas. Par contre, pour ne pas l'oublier, vous pouvez tout de même le noter juste ici, dans ce carnet. À vous, ensuite, de tenir votre bouquin loin des curieux !

DATE DE LA MISSION :

jour	mois	année

ENDROIT :

_____

TÉMOINS : 1. _____
2. _____
3. _____
4. _____
5. _____
6. _____

VŒU : _____
_____
_____
_____
_____

NOMBRE D'ÉTOILES FILANTES APERÇUES : _____
_____

MON VŒU S'EST RÉALISÉ : ⬤ OUI   ⬤ NON   ⬤ PAS ENCORE

3 CAPTURER UN INSECTE POUR L'OBSERVER

La nature est une méga œuvre d'art. Vous n'avez qu'à observer ses nombreuses variétés de fleurs, ses paysages à perte de vue ou même les plus minuscules insectes, par exemple, pour le constater. Car aussi anodines et dégoûtantes qu'elles puissent paraître, les bibittes sont absolument magnifiques ! Tellement que, parfois, on dirait presque qu'elles ont été fabriquées et peintes à la main !

Afin de les examiner plus attentivement, je vous suggère de les capturer et de les enfermer temporairement dans un pot en verre. Attention : pour que vos cobayes puissent respirer, le couvercle devra être percé de multiples petits trous. (Demandez à un parent de le faire avec un clou.)

Une bonne loupe est idéale pour mieux voir les tout petits détails, comme les motifs colorés, les fines pattes ou les drôles d'yeux de vos spécimens. Si vous n'avez pas de loupe, ce n'est pas grave. Vous devrez seulement avoir le courage de vous approcher au maximum pour bien les inspecter.

Note : Une fois cette mission accomplie, n'oubliez pas de relâcher vos otages dans leur habitat naturel, c'est-à-dire là où vous les aurez attrapés. Bonne observation !

Tiens, une idée ! : Dessinez l'insecte que vous avez trouvé le plus beau ou le plus spécial.

VOTRE MISSION EST RÉUSSIE ? COLLEZ VOTRE AUTOCOLLANT ICI !

MISSION ACCOMPLIE

DATE DE LA MISSION :

jour	mois	année

NOM DE L'INSECTE : _Areigner_

OBSERVATIONS / DESCRIPTION : _____

_____

_____

15

Date de la mission :

jour	mois	année

Nom de l'insecte : _____

Observations / Description : _____

_____

_____

DATE DE LA MISSION :

| | jour | | mois | | année |

NOM DE L'INSECTE : _____

OBSERVATIONS / DESCRIPTION : _____
_____
_____

4 DÉCOUVRIR UN COIN DE PAYS

Pour découvrir un nouveau coin de pays, il n'est pas nécessaire d'aller à l'autre bout du monde ! Vous pouvez aussi explorer une ville ou un village environnant. L'idée, c'est de sortir un peu de chez vous pour réaliser qu'il existe autre chose ailleurs : des maisons, des façons de vivre, de parler, de s'habiller et même de manger, qui sont différentes des vôtres.

Par exemple, le Québec partage des frontières avec les États-Unis, l'Ontario et le Nouveau-Brunswick. De beaux endroits à découvrir, avec de belles plages, entre autres. Le saviez-vous ?

Peu importe où vous irez, je vous souhaite de faire **BON VOYAGE !**

MISSION ACCOMPLIE

DATE DE LA MISSION :

| jour | mois | année |

ENDROIT VISITÉ : _____

DURÉE DU SÉJOUR : _____

AVEC QUI ? _____

JE M'Y SUIS RENDU EN :
○ AUTO ○ VÉLO ○ AVION ○ TRAIN
○ AUTOBUS ○ BATEAU ○ À PIED
○ AUTRE : _____

OBSERVATIONS / ANECDOTES : _____

_____

_____

_____

_____

_____

_____

_____

_____

_____

_____

_____

_____

5 LIRE UN LIVRE DE 300 PAGES OU +

Pour certains d'entre vous, cette mission est déjà accomplie. Félicitations ! Mais ce n'est pas la majorité des enfants qui ont lu un aussi gros bouquin au complet. La mission, ici, s'adresse donc davantage à ceux dont le passe-temps favori n'est pas la lecture. Avec la multitude et la diversité de livres existant sur le marché, je ne peux pas croire que vous aurez du mal à trouver un livre qui saura vous intéresser !

Conseil d'amie : Allez donc jeter un coup d'œil à la bibliothèque de votre quartier ou à la librairie. N'hésitez pas à fouiller. Vous verrez, un livre génial vous attend, c'est certain !

Défi ! : Pour ceux et celles qui lisent régulièrement des briques, lancez-vous un plus grand défi : lire une série complète comprenant plusieurs tomes, ou même un livre écrit dans une autre langue !

MISSION
ACCOMPLIE

DATE DE LA MISSION :

jour   mois   année

TITRE DU LIVRE : _____

NOMBRE DE PAGES : _____

RÉSUMÉ / SUJET : _____

_____

_____

_____

_____

_____

_____

_____

_____

TEMPS POUR LE LIRE : _____

ROMAN

NOTES / COMMENTAIRES : _____

_____

_____

_____

6 VAINCRE UNE PEUR

Tout le monde a peur de quelque chose. Et le plus bête, c'est que la meilleure façon de se débarrasser de ses peurs, c'est de les affronter !

Autrement dit, c'est à force de faire des choses qui nous effraient qu'on devient de moins en moins peureux. Bon, OK, j'avoue, c'est plus facile à dire qu'à faire... Mais il faut bien commencer quelque part, non ? Alors, allez-y, prenez votre courage à deux mains et foncez.

VOUS ÊTES CAPABLE !

MISSION ACCOMPLIE

DATE DE LA MISSION :

jour	mois	année

MES PLUS GRANDES PEURS :

_____

CELLE QUE J'AI AFFRONTÉE : _____

COMMENT ? _____

_____

NOTES / COMMENT JE ME SUIS SENTI ?

_____

_____

_____

_____

_____

_____

_____

_____

À REFAIRE :   ▢ SANS FAUTE   ▢ PLUS JAMAIS   ▢ POURQUOI PAS

7 FAIRE UNE ✓ BONNE ACTION

Ouvrir la porte à quelqu'un, aider ses parents à faire du ménage, céder sa place dans l'autobus ou partager sa collation, ce sont toutes de bonnes actions.

Par contre, dans ce cas-ci, comme il s'agit d'une mission, il faudrait en faire un peu plus que ça. Votre bonne action doit rendre un fier service à quelqu'un que vous n'avez pas l'habitude d'aider.

Pourquoi ne pas rendre visite à une personne âgée qui vit dans un centre, et qui se sent seule et s'ennuie ? Organiser une corvée entre amis afin de ramasser les déchets accumulés depuis trop longtemps dans le parc du quartier ? Ou encore faire du bénévolat pour un organisme de votre communauté ?
AH ! LÀ ON JASE !

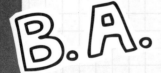

MISSION ACCOMPLIE

DATE DE LA MISSION :

jour   mois   année

LISTE DES BONNES ACTIONS QUE J'AIMERAIS FAIRE :

1-
2-
3-
4-
5-
6-

CELLE QUE J'AI FAITE :
AVEC QUI ?

COMMENT JE ME SUIS SENTI ?

NOTES / IMPRESSIONS :

À REFAIRE :   SANS FAUTE   PLUS JAMAIS   POURQUOI PAS

8 COMPOSER UNE ŒUVRE LITTÉRAIRE

En d'autres mots, cette mission consiste à composer soit un poème, soit des paroles de chanson, soit une histoire, ou même à créer une bande dessinée ! Peu importe le médium que vous choisirez d'utiliser pour vous exprimer, laissez-vous aller ! Votre cœur a sûrement quelque chose d'intéressant à raconter : serait-ce un moment heureux de votre vie ? Ou plutôt une situation difficile que vous avez vécue ? À moins que vous ne préfériez partager un moment important ou une opinion ?

Et puis, vous savez, fouiller dans ses propres expériences n'est qu'une façon parmi tant d'autres de s'inspirer. Vous pouvez aussi inventer une histoire sortie tout droit de votre imagination ! En fait, ce qui compte, c'est que ça vous allume. **BONNE INSPIRATION !**

DATE DE LA MISSION :

| | jour | | mois | | année |

J'AI CHOISI DE CRÉER :

- UN POÈME
- UNE HISTOIRE
- AUTRE :

- DES PAROLES DE CHANSON
- UNE BANDE DESSINÉE

FORME DE L'ŒUVRE :
TITRE DE L'ŒUVRE :

DESCRIPTION / INSPIRATION / NOTES :

BROUILLON

darlon

PROPRE

9 GOÛTER À QUELQUE CHOSE DE NOUVEAU

Oh ! Ça, c'est moins drôle, comme mission... Goûter à un aliment que vous n'avez jamais osé vous mettre sous la dent auparavant, parce que ça ne vous disait rien ou parce que ça vous répugnait carrément. Ouache ! Il est vrai que certains aliments peuvent nous lever le cœur juste d'y penser... Mais attendez, cette mission ne consiste pas à tester de la nourriture qui vous dégoûte. Au contraire !

Vous pouvez choisir de goûter à un dessert d'un autre pays, à un fruit exotique ayant une drôle de forme, ou à un plat cuisiné avec des épices jusqu'ici inconnues. Dans ce cas, l'expérience ne sera pas forcément malheureuse ! Pensez-y, elle pourrait même vous faire découvrir votre nouveau plat préféré... Allez, juste une petite bouchée ! Et si vous réussissez à manger votre portion au complet, c'est encore mieux. Vous serez fier de vous (et moi aussi ! ☺

Note : Il est fort possible que cette petite expérience culinaire ne soit pas super plaisante. Mais au moins, la prochaine fois qu'on vous offrira de ce plat ou de cet aliment, vous pourrez dire que vous y avez déjà goûté et que vous n'aimez pas ça !

Mise en garde : Si vous avez des allergies alimentaires, assurez-vous de vous informer au sujet des ingrédients de ce nouvel aliment avant de le manger. Et si on ne peut vous confirmer qu'il est sans danger pour vous, ne prenez pas de risque et choisissez-en un autre !

MISSION ACCOMPLIE

DATE DE LA MISSION :

jour	mois	année

NOM DE L'ALIMENT / METS / PLAT :

....

ORIGINE :..

DÉCRIRE LES SAVEURS / TEXTURES / GOÛTS :..........................

....

....

....

NOTE : / 10

NOM DE L'ALIMENT / METS / PLAT :

....

ORIGINE :..

DÉCRIRE LES SAVEURS / TEXTURES / GOÛTS :..........................

....

....

....

NOTE : / 10

Miam !

10 APPRENDRE DES MOTS DANS UNE LANGUE ÉTRANGÈRE

OK, tout le monde connaît les mots « *thank you* » et « *hola* ». Mais imaginez si vous saviez dire : « Bonjour, comment ça va ? Veux-tu jouer avec moi ? » en japonais ou en mandarin, par exemple, ce serait pas mal plus impressionnant, non ?

Vous connaissez peut-être quelqu'un dans votre entourage qui vient d'un autre pays et qui parle une deuxième langue ? Demandez-lui de vous montrer quelques mots dans sa langue maternelle. Je prédis que cette personne sera ravie de vous aider !

VOTRE MISSION EST RÉUSSIE ? COLLEZ VOTRE AUTOCOLLANT ICI !

MISSION ACCOMPLIE

DATE DE LA MISSION :

jour	mois	année

LANGUE : _____

MOTS APPRIS : × _____ SIGNIFIE _____
×_____ SIGNIFIE _____
×_____ SIGNIFIE _____
×_____ SIGNIFIE _____
×_____ SIGNIFIE _____
×_____ SIGNIFIE _____
×_____ SIGNIFIE _____
×_____ SIGNIFIE _____
×_____ SIGNIFIE _____
×_____ SIGNIFIE _____

QUI ME LES A APPRIS ? _____

COMMENT S'EST PASSÉ L'APPRENTISSAGE ? _____
_____
_____
_____
_____
_____
_____

11 CRÉER UNE OEUVRE EN ORIGAMI

Qu'est-ce que l'origami ? C'est un art populaire qui vient du Japon et qui consiste à créer toutes sortes de formes magnifiques en pliant simplement une feuille de papier. Et je ne parle pas ici d'un avion à cinq plis, mais bien de créations plus complexes comme un oiseau, une fleur ou un dragon ! Parce qu'on peut vraiment réaliser des tas de trucs cool en origami !

Voir, à côté, comment créer un pélican...

1. Tout d'abord, ça prend une feuille de papier, carrée, que vous pouvez créer à l'aide d'une feuille de format régulier. **(images A et B)**
2. Placez la feuille carrée de façon à ce qu'elle forme un losange, face à vous, puis, pliez-la en deux et dépliez-la. (Je ne vous niaise pas, c'est pour créer un pli en plein centre !) **(image C)**
3. Maintenant, c'est sérieux, on commence le montage ! Ramenez les coins de côtés vers la ligne du centre, formée par le pli. **(image D)**
4. Puis, répétez la même action avec les deux nouveaux coins de côtés. **(image E)** Vous devriez obtenir la forme présentée. **(image F)**
5. Retournez la forme obtenue (plis vers table) et rabattez le coin du bas vers celui du haut. **(image G)**
6. Pliez ensuite en deux, sur le sens de la verticale. **(image H)**
7. En positionnant la forme tel que démontré (image I), remontez le triangle intérieur pour créer le cou du pélican. **(image J)**
8. Pliez le bout, pour former la tête. **(image K)**
9. Il ne vous reste plus qu'à créer les ailes ! **(image L)**
10. Tadam !

Note : L'art du pliage de papier vous plaît et vous aimeriez apprendre à créer plein d'autres formes en origami ? Sachez qu'il existe de très bons bouquins sur le sujet. Je parie qu'il y en a au moins un dans une bibliothèque ou une librairie près de chez vous...

34

DATE DE LA MISSION :

jour
mois
année

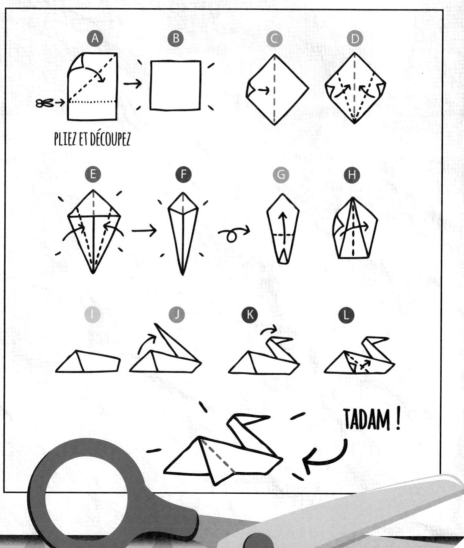

PLIEZ ET DÉCOUPEZ

TADAM !

12 JOUER UN BON TOUR SANS VOUS FAIRE PRENDRE

Parce que si on se fait prendre en train de jouer un tour, il ne peut pas être considéré comme « **RÉUSSI** », ça va de soi. Il y a plein de tours rigolos et inoffensifs que vous pouvez jouer à vos proches. Et si je dis « rigolos et inoffensifs », c'est que le but de cette mission est de s'amuser à taquiner un ami, et non de le blesser, de le faire souffrir ou de l'humilier !

Ça pourrait être simplement de faire croire un gros mensonge à quelqu'un. Sinon, on connaît les tours classiques : mettre du ruban adhésif dans les cadres de porte un peu partout dans la maison, dévisser la salière, remplacer la crème d'un biscuit Oreo par du dentifrice... Bon, ce dernier tour est un peu plus dégueu, je l'admets, mais ça ne fait pas mal, et surtout, ça doit être très amusant de voir la réaction de la victime après la première bouchée !

Ces quelques exemples de tours vous inspirent ? À vous de jouer, maintenant ! Je suis certaine que vous avez déjà plein d'idées en tête...

MISSION
ACCOMPLIE

DATE DE LA MISSION :

jour   mois   année

NOM DU TOUR : _____

VICTIME(S) : _____

PLAN DU TOUR À JOUER / DÉTAILS / ASTUCES / COMPLICES :

_____
_____
_____
_____
_____
_____
_____
_____
_____

RÉACTION DE LA PERSONNE QUI S'EST FAIT PRENDRE :

_____
_____
_____
_____
_____

VISITER un MUSÉE

Un musée ne présente pas que des œuvres d'art, comme des tableaux et des sculptures ! En fait, c'est un endroit où l'on conserve avec grand soin toutes sortes d'objets ayant un intérêt historique, technique, scientifique ou artistique, dans le but de les présenter au public.

Vous n'avez pas idée de tous les musées que l'on retrouve seulement au Québec. Il y en a sur l'invention de la motoneige, sur les costumes d'époque, sur les différentes cultures, sur les trains, sur les insectes de toutes sortes, et même sur les squelettes !

Cette mission devrait donc être assez facile à réaliser. Il ne vous reste plus qu'à sélectionner, parmi tous les musées du Québec (ou d'ailleurs), celui qui vous branche le plus. Une chose est certaine, peu importe celui que vous visiterez, vous y découvrirez des choses très intéressantes. Car c'est aussi pour ça qu'on va au musée !

Note : Pour consulter une liste de musées cool, rendez-vous à la fin de ce livre. Les adresses et numéros de téléphone sont tous là ! Bonne visite !

Conseil d'amie : Appelez toujours au musée en question avant de vous y rendre, histoire de vous assurer que c'est bien ouvert et de connaître, s'il y a lieu, le prix d'entrée.

MISSION
ACCOMPLIE

DATE DE LA MISSION :

jour

mois

année

NOM DU MUSÉE :
VILLE / PAYS :

IMPRESSIONS / NOTES :

CE QUI M' A SURPRIS, MARQUÉ :

À REFAIRE : SANS FAUTE   PLUS JAMAIS   POURQUOI PAS

14 GRAVIR UN MONT OU UNE MONTAGNE

Il ne s'agit pas ici d'escalader le mont Everest, mais plutôt de gravir un mont ou une montagne d'altitude raisonnable, en empruntant les sentiers déjà tracés. Votre mission est de vous rendre jusqu'au sommet. À quoi bon s'arrêter en plein milieu quand on peut aller jusqu'au bout, n'est-ce pas ?

Une fois là-haut, vous pourrez vous reposer tout en admirant la vue spectaculaire... Profitez-en, après tout, vous n'avez pas fait tous ces efforts pour rien !

Tiens une idée ! : Pourquoi ne pas prolonger votre moment de détente et de contemplation en improvisant un petit pique-nique au sommet ? Pas mal comme emplacement pour luncher, non ? En tout cas, ça bat n'importe quelle table de restaurant, même le plus chic !

Truc de pro : Ayez toujours une bouteille d'eau sur vous pour bien vous hydrater, surtout s'il fait très chaud.

Mise en garde : Si l'aventurier en vous avait soudain envie de sortir des sentiers déjà tracés, je vous conseille fortement de l'en dissuader. Se perdre en forêt, c'est un risque très réel. Pas sûre que vous aimeriez que ça vous arrive... et moi non plus ! ☺

MISSION
ACCOMPLIE

DATE DE LA MISSION :

jour   mois   année

CONDITIONS MÉTÉO :

◯☀ ◯⛅ ◯☁ ◯🌧 ◯⛈

NOM DU MONT OU DE LA MONTAGNE : _____

OÙ ? _____

DURÉE DE LA MONTÉE : _____

AVEC QUI ? _____

ALTITUDE OU HAUTEUR DE LA MONTAGNE : _____

IMPRESSIONS / VUE AU SOMMET / NOTES : _____

_____

_____

_____

_____

_____

_____

_____

_____

_____

À REFAIRE : ◯ SANS FAUTE   ◯ PLUS JAMAIS   ◯ POURQUOI PAS

15 FAIRE POUSSER UNE PLANTE

Pour pousser, une plante a besoin d'eau et de lumière (j'espère que je ne vous apprends rien !). Eh oui ! Une plante, c'est vivant, comme nous ! La preuve, si vous l'arrosez et la placez pas très loin d'une source lumineuse (genre une fenêtre), elle devrait normalement grandir. Et selon la croyance populaire, si vous lui parlez, elle poussera encore plus rapidement ! Mais bon, ça reste à prouver...

Cette mission ne peut donc pas s'accomplir en une journée. En fait, le vrai défi, c'est de garder votre plante en vie pendant tout l'été ! Cela veut dire que vous devrez en prendre soin régulièrement. Si vous partez en vacances plusieurs jours, il faudra demander à la voisine ou à un ami de venir l'arroser... C'est sérieux ! Car si cette plante meurt avant la fin de l'été, votre mission ne pourra être considérée comme « accomplie ». Ah, ha !

Tiens une idée ! : Si vous vivez sur un grand terrain, pourquoi ne pas planter un arbre ? Vous n'aurez même pas à vous en occuper car mère Nature va s'en charger ! Par contre, il faudra vous armer de patience pour le voir grandir, car un arbre moyen peut prendre jusqu'à 30 ans avant d'atteindre sa pleine maturité...

DATE DE LA MISSION :

| jour | mois | année |

NOM DE LA PLANTE / VARIÉTÉ :

PHOTO / DESSIN AU DÉBUT :　　　　　　**PHOTO / DESSIN À LA FIN :**

AVANT　　　　　　APRÈS

IMPRESSIONS / NOTES SUR L'ENTRETIEN :

_____
_____
_____
_____

16 ORGANISER UNE BATAILLE DE BALLOUNES D'EAU

Ça, c'est cool, surtout quand il fait très chaud ! Pour jouer, c'est tout simple; il vous faut des ballons (peu importe la grosseur et la couleur), de l'eau et des amis, car une bataille avec soi-même, c'est plutôt... plate !

Après avoir généreusement rempli les ballons d'eau et vous être assuré qu'ils étaient bien noués, divisez les munitions également entre les équipes. Il ne vous reste plus qu'à donner le signal officiel du début de la bataille. **À L'ATTAQUE !**

Vous avez le choix de vous lancer les ballounes dessus ou de viser une cible précise. Personnellement, je préfère viser des copains. C'est plus drôle, et ça rafraîchit ! Hi ! hi ! hi !

Mises en garde : Ne visez pas le visage de vos camarades : recevoir une balloune d'eau en pleine face, ça ne fait pas beaucoup de bien... Aussi, évitez de viser votre chien, ou le chat du voisin. Les animaux, bien souvent, ne comprennent pas qu'on les attaque « pour jouer ».

Détail pas nono du tout : J'ai oublié de préciser : Ce jeu se joue... dehors. Ben quoi ?! Je préfère ne pas prendre de risques... Vaut mieux prévenir que guérir !

DATE DE LA MISSION :

jour	mois	année

COMPLICES :
-
-
-
-

NOMBRE DE BALLONS : _____

TEMPÉRATURE / MÉTÉO : _____

ANECDOTES : _____
_____
_____
_____

IMPRESSIONS / NOTES : _____ ___
_____
_____
_____
_____
_____
_____

45

17 CONSTRUIRE UN CHÂTEAU DE SABLE

Du sable, c'est facile à trouver : au bord de la mer, au bord d'une rivière ou d'un lac, ou même dans un carré de sable. Il ne vous reste donc plus qu'à sortir vos seaux, vos pelles et vos talents de sculpteur pour passer à l'action. C'est aussi simple que ça !

Note : Si le château classique ne vous inspire pas trop, libre à vous de façonner ce qui vous plaît : un dinosaure, un dauphin, une fleur ou une étoile de mer géante... C'est vous l'artiste !

MISSION ACCOMPLIE

DATE DE LA MISSION :

| jour | mois | année |

CONDITIONS MÉTÉO :

☐ ☀ ☐ ⛅ ☐ ☁ ☐ 🌧 ☐ ⛈

ENDROIT : ....

COMPLICES / TÉMOINS : ....
....
....

DESSIN OU PHOTO
DE LA SCULPTURE

TEMPS DE RÉALISATION : ....
SUIS-JE SATISFAIT : ☐ OUI ☐ NON
COMMENTAIRES / ANECDOTES : ....
....
....

18 SIFFLER AVEC VOS DOIGTS

Avouez que vous aimeriez, vous aussi, savoir siffler avec vos doigts, tel un fan en délire dans un concert rock ! C'est d'ailleurs pourquoi j'ai pensé vous proposer cette mission; le jour où vous assisterez à un de ces spectacles, vous pourrez donc vous exprimer aisément !

Voici quelques trucs et techniques pour y arriver.
Il y en a plusieurs. Personnellement, je pratique celle-ci :

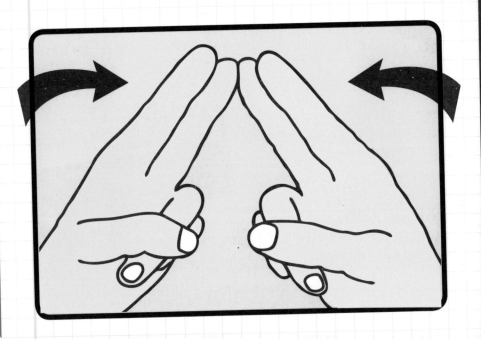

MISSION ACCOMPLIE

DATE DE LA MISSION :

jour

mois

année

MODE D'EMPLOI :

1. Commencez par vous laver les mains (à moins que vous veniez de manger du chocolat et qu'il vous en reste sur les doigts !).

2. Recouvrez vos dents avec vos lèvres, comme si vous vouliez les protéger du froid ou imiter un vieillard édenté.

3. Faites rouler votre langue vers le haut afin que le bout de celle-ci atteigne votre palais.

4. C'est ici que vos doigts entrent en jeu ! Collez vos index et vos majeurs, ensemble, dans chaque main, en repliant les autres doigts.

5. Toujours en gardant vos doigts collés, joignez vos majeurs l'un à l'autre, afin de former un triangle (voir image à la page précédente).

6. Déposez vos doigts, toujours en position, sur votre langue, là où elle plie, et refermez votre bouche pour bien y emprisonner vos doigts.

7. Vous êtes prêt à siffler ! Prenez une grande inspiration par le nez avant de laissez sortir l'air d'un bon coup sec, en poussant légèrement votre langue contre vos doigts pour contrôler le son.

Note : Il est fort possible que ça ne fonctionne pas du premier coup... Ça demande tout de même un peu d'entraînement et de patience ! Mais ne vous découragez pas, à un moment donné, un son devrait finir par sortir !

19 VOUS FAIRE UN OU DES NOUVEAUX AMIS ♡

Parce que des amis, on n'en a jamais trop ! Par contre, selon votre personnalité, cette mission sera plus ou moins difficile à réaliser. Quand on est plutôt timide, aller au-devant d'une personne qu'on ne connaît pas peut s'avérer extrêmement pénible et stressant. Je le sais, croyez-moi ! Je suis moi-même une personne timide, et c'est justement pour ça que j'ai eu l'idée d'en faire une mission. **HI ! HI !**

Vous prévoyez de participer à un camp de vacances ou vous inscrire au terrain de jeu cet été ? Voilà de belles occasions de vous faire de nouveaux amis ! Cela vous facilitera beaucoup la tâche. Et si vous passez vos vacances à la maison, la piscine publique et le parc sont aussi des endroits propices aux nouvelles rencontres...

MISSION ACCOMPLIE

DATE DE LA MISSION :

jour   mois   année

NOM DE MON / MES NOUVEAUX AMIS :

☺ :

COMMENT L'AI-JE RENCONTRÉ ? ....

OÙ ? ....

COMMENTAIRES / ANECDOTES : ....

....

....

☺ :

COMMENT L'AI-JE RENCONTRÉ ? ....

OÙ ? ....

COMMENTAIRES / ANECDOTES : ....

....

....

☺ :

COMMENT L'AI-JE RENCONTRÉ ? ....

OÙ ? ....

COMMENTAIRES / ANECDOTES : ....

....

....

20 FAIRE un JEÛNE TECHNOLOGIQUE

De nos jours, la technologie est tellement présente dans nos vies qu'on peut difficilement s'imaginer vivre sans elle. Eh bien, l'exercice, ici, c'est d'essayer de vous prouver le contraire ! Pour accomplir cette mission, vous devrez vous priver pendant une journée complète (soit du lever au coucher !) de tout appareil électronique : **téléphone cellulaire, téléviseur, ordinateur, console de jeux vidéo, iPod et tablette**. Après tout, avant leur invention, les gens vivaient très bien, non ?

À vous de trouver des façons de vous occuper autrement. Ce livre peut déjà vous fournir quelques idées. Sinon, vous pouvez toujours aller jouer dehors, vous balancer au parc, lire, dessiner, cuisiner, chanter des rigodons, danser, etc. ! Vous voyez, il ne manque pas de choses à faire en ce bas monde !

MISSION
ACCOMPLIE

DATE DE LA MISSION :

jour   mois   année

IMPRESSIONS / COMMENTAIRES :

QU'AI-JE FAIT POUR ME DIVERTIR ?

CE QUI M' A LE PLUS MANQUÉ ?

POURRAIS-JE VIVRE SANS ÇA ?

À REFAIRE : ⃝ SANS FAUTE   ⃝ PLUS JAMAIS   ⃝ POURQUOI PAS

Si vous êtes du genre à bousculer les gens pour être le premier à monter dans les montagnes russes (comme le Monstre à La Ronde) et à faire le parcours encore et encore, bien relax et le sourire fendu jusqu'aux oreilles, vous pouvez déjà dire que vous avez largement accompli cette mission. **BRAVO !** Mais les sensations fortes, c'est loin d'être pour tout le monde. Pour bien des gens, cela demeure tout un défi !

Ne paniquez pas ! Vous n'êtes pas obligé de monter à bord d'un manège aussi à pic et tortueux que le Monstre pour réaliser cette mission. (Moi-même, je serais la première à préférer mourir plutôt que d'embarquer là-dedans...) En fait, le but de cette activité est de vous encourager à surmonter vos peurs et de vous faire vivre de nouvelles sensations, disons, un peu « thrillantes » que d'habitude. À vous de trouver le manège où l'attraction qui vous conviendra.

Tiens une idée ! : Tiens, pourquoi ne pas commencer par une attraction plus « modeste » (comme la Pitoune, toujours à La Ronde) ou encore une glissade d'eau ! Je vous laisse en juger par vous-même, car vous seul connaissez votre seuil de tolérance. Je ne voudrais surtout pas vous faire faire une syncope !

Note : Si jamais vous ne savez pas où réaliser cette mission, allez jeter un coup d'œil à la fin de ce livre pour une liste d'adresses. Et surtout, téléphonez pour connaître les heures d'ouverture ! On ne sait jamais...

MISSION ACCOMPLIE

DATE DE LA MISSION :

jour	mois	année

ENDROIT :

COMPLICES / TÉMOINS :

NOM ET DESCRIPTION DE L'ACTIVITÉ :

DESSIN OU PHOTO À L'APPUI

Hee Haw !

IMPRESSIONS / SENTIMENTS / RÉACTIONS :

À REFAIRE : ⬤ SANS FAUTE ⬤ PLUS JAMAIS ⬤ POURQUOI PAS

22 REDONNER DU STYLE À UN VIEUX VÊTEMENT

On a tous un vieux chandail ou une paire de jeans usés à la corde que nos parents tentent désespérément de nous faire mettre à la poubelle, sans succès. Dans le fond, à quoi bon s'en débarrasser si on est bien dedans ! Cela est tout à fait légitime. Mais rien ne vous empêche de redonner un peu de style à vos vieux vêtements, tout en y ajoutant une touche personnelle.

Comment s'y prendre ? Voici quelques **idées** pour vous inspirer :

- Donnez des coups de ciseaux, par-ci, par-là, afin de créer des franges.
- Cousez des rubans stylisés au bout des manches ou au bas des pantalons.
- Ajoutez des boutons plus gros ou de toutes sortes de formes !
- Apposez plein de patchs (qu'on peut trouver dans les magasins de tissu), avec un fer à repasser.
- Peignez sur votre vêtement quelque chose de votre cru, comme un dessin ou un message particulier !

Ce ne sont là que quelques suggestions... À vous de concevoir le nouveau look de votre vieux jean ou chandail, selon vos goûts et votre propre style ! Je suis certaine que vous trouverez une façon originale de le faire. Peu importe les modifications que vous choisirez d'y apporter, ce vêtement sera unique et vous pourrez être encore plus fier de le porter !

MISSION ACCOMPLIE

DATE DE LA MISSION :

jour	mois	année

ESQUISSE :

IDÉE 1

IDÉE 2

ANNOTATIONS :

57

ESQUISSE

ESQUISSE

58

COLLEZ
VOTRE PHOTO
ICI

AVANT

PHOTO OU
IMPRESSION DU
VÊTEMENT

COLLEZ
VOTRE PHOTO
ICI

APRÈS

23 ASSISTER À LA PROJECTION D'UN FILM EN PLEIN AIR

Pourquoi aller voir un film dehors alors qu'on peut très bien le faire dans le confort de son salon ou d'une salle de cinéma ? Eh bien, à cela je réponds : Pourquoi pas ! Le but de ce livre est de vous faire vivre toutes sortes d'expériences trippantes et inhabituelles. Alors, en voici une ! Vous verrez, le fait d'être en plein air donne une tout autre dimension au visionnement d'un film.

Les ciné-parcs projettent des films sur écran géant extérieur, bien sûr, mais il arrive que certains parcs publics, l'été, le fassent aussi. Informez-vous, il y en a peut-être dans votre quartier. Sinon, en tout dernier recours, vous pouvez toujours essayer de convaincre papa et maman de sortir le cinéma maison dehors... **BON FILM !**

Note : Il n'est pas nécessaire de mentionner à vos parents que c'est moi qui ai suggéré de sortir le cinéma maison dehors... Merci ! ☺

DATE DE LA MISSION :

jour	mois	année

TITRE DU FILM : _____

OÙ ? _____

AVEC QUI ? _____

CONDITIONS MÉTÉO :

☐ ☀ ☐ ⛅ ☐ ☁ ☐ 🌧 ☐ ⛈

AUTRES DÉTAILS : ÉTOILES, VENT, MOUSTIQUES...

_____

_____

COMMENTAIRES SUR LE FILM :

_____

_____

_____

_____

IMPRESSIONS SUR LE FAIT DE VOIR UN FILM EN PLEIN AIR :

_____

_____

_____

_____

24 VEILLER TARD

Se coucher tard, ça, c'est le fun ! Par contre, quand on va à l'école, ce n'est pas une super bonne idée. Mais une fois de temps en temps, en vacances, y a rien là !

Comme la nuit les gens dorment et que presque tout est fermé, il n'y a pas grand-chose à faire. Ce que je vous suggère donc pour passer le temps, c'est d'organiser une soirée pyjama avec plein d'amis, quelques bons films à regarder et du pop-corn en masse ! Ça, ça remplit bien une soirée... et une partie de la nuit !

Conseil d'amie : Avant de réaliser cette mission, assurez-vous de ne rien avoir d'important au programme le lendemain, car vous risquez d'être trop fatigué pour apprécier pleinement votre journée.

DATE DE LA MISSION :

| jour | mois | année |

COMPLICES :

☺ .... ☺ .... ☺ ....

ACTIVITÉS ORGANISÉES POUR RESTER ÉVEILLÉS :

★ ....

★ ....

★ ....

★ ....

TITRES DES FILMS VISIONNÉS (S'IL Y A LIEU...)

🍿 ....

🍿 ....

🍿 ....

🍿 ....

HEURE DU COUCHER : _ _ : _ _

ANECDOTES ....

....

....

....

....

COLLEZ
VOTRE PHOTO
ICI

COLLEZ
VOTRE PHOTO
ICI

COLLEZ
VOTRE PHOTO
ICI

PHOTO
SOUVENIR

COLLEZ
VOTRE PHOTO
ICI

25 FAIRE VOYAGER UN LIVRE

Il y a un livre que vous aimez vraiment beaucoup ? Tellement que vous n'hésiteriez pas à le recommander ? Alors, je vous propose de le faire découvrir au monde entier en l'envoyant en voyage !

Cette mission est simple : vous devez déposer un bouquin dans un endroit public afin que quelqu'un le trouve, le lise et le redépose ensuite dans un autre lieu.

Étapes à suivre :

① Sélectionnez un livre qui, selon vous, vaut la peine d'être lu et partagé.

② Inscrivez une note à l'intérieur, sur la première page, pour expliquer le concept, pour indiquer que vous avez décidé de « faire voyager un livre ». Surtout, prenez bien soin de préciser que chaque lecteur devra, à son tour, déposer le livre dans un lieu public (différent de celui où il l'a cueilli) après l'avoir lu. Puis, terminez en souhaitant « Bonne lecture ! » au mystérieux passant, sans oublier d'inscrire votre nom, la ville où vous vivez et la date.

③ Déposez ensuite votre livre dans un endroit stratégique, c'est-à-dire là où il pourra être vu, comme sur un banc de parc, ou encore sur une table dans un restaurant.

Et voilà, votre livre est prêt à entreprendre le périple de sa vie !

Tiens, une idée ! : Afin de suivre de près l'itinéraire qu'empruntera votre bouquin, ajoutez une adresse courriel au bas de votre mot, en précisant que vous aimeriez que chaque nouveau lecteur vous écrive pour vous dire où il est rendu.

VOTRE MISSION EST RÉUSSIE ? COLLEZ VOTRE AUTOCOLLANT ICI !

MISSION ACCOMPLIE

Date du dépôt du livre :

jour | mois | année

Titre du livre : _____

L'endroit précis où je l'ai déposé : _____

_____

Ville : _____ Pays : _____

Pourquoi ai-je voulu partager ce livre ?

_____
_____
_____ __
_____
_____
_____
_____

Écrire les endroits où le livre a voyagé

»   »
»   »
»   »
»   »
»   »

67

26 ESSAYER UNE ACTIVITÉ QUI NE VOUS ATTIRE PAS

Oui, oui, vous avez bien lu ! Vous devez, pour réussir cette mission, essayer une activité qui vous semble plate, trop difficile, ou qui ne vous dit rien du tout. Pourquoi ? Parce qu'on ne peut pas dire qu'une activité est ennuyante ou trop difficile tant qu'on ne l'a pas essayée. N'est-ce pas ?

Bon, ça va peut-être vous demander un certain effort pour y arriver, mais après tout, c'est une mission, non ? Essayez d'entraîner quelques amis avec vous, ce sera plus motivant et plus amusant. Et puis, qui sait, vous vous découvrirez peut-être une nouvelle passion ou un nouveau talent !

Allez, go !

MISSION ACCOMPLIE

DATE DE LA MISSION :

| jour | mois | année |

ACTIVITÉ :

POURQUOI JE N'AI JAMAIS VOULU L'ESSAYER ?

APRÈS L'AVOIR FAIT, MA PERCEPTION DE CETTE ACTIVITÉ EST-ELLE DIFFÉRENTE ?

POURQUOI ?

À REFAIRE :   ◯ OUI   ◯ NON   ◯ POURQUOI PAS

27 ASSISTER À UN FEU D'ARTIFICE

Parce que voir un feu d'artifice exploser en direct, c'est tellement plus magique qu'à la télé, et ô combien impressionnant ! Vous en aurez plein la vue... et les oreilles ! De plus, ça tombe bien, car ces spectacles pyrotechniques sont très populaires pendant la saison estivale. En effet, de nombreuses villes en organisent pour célébrer de gros événements comme la Saint-Jean-Baptiste (fête nationale du Québec) et la fête du Canada. Informez-vous, il y en aura peut-être un près de chez vous !

Ce qui est pratique avec les feux d'artifice, c'est que comme ils se déroulent en plein air et très haut dans le ciel, ils sont facilement visibles, même de loin. Vous n'avez qu'à dénicher l'endroit idéal pour bien les voir et relaxer en admirant le spectacle ! **Ohhh ! Ahhh ! Wowww !**

DATE DE LA MISSION :

jour

mois

année

CONDITIONS MÉTÉO :

○ ○ ○ ○ ○

TEMPÉRATURE : __ C°

OÙ ? ....AVEC QUI ? ....

IMPRESSIONS / SENTIMENTS VÉCUS :

....
....
....
....
....

DESCRIPTION DU FEU D'ARTIFICE :

....
....
....
....
....

À REFAIRE : ● SANS FAUTE   ● PLUS JAMAIS   ● POURQUOI PAS

28 FAIRE DU BEURRE

À première vue, cette mission disons « mi-scientifique, mi-culinaire », peut sembler étrange et inintéressante, mais attendez de la réaliser...

Comment ça marche ?

Il suffit de verser de la crème bien épaisse **(35 %)** dans un contenant hermétique, comme un plat Tupperware ou un pot Mason, de le fermer et de l'agiter sans arrêt à deux mains pendant environ 5 à 10 minutes, ou jusqu'à ce que le phénomène suivant se produise : la crème se séparera en deux parties ; du petit lait très léger presque aussi clair que de l'eau, et un bloc dur, qui sera, en fait, le beurre ! Eh oui, du vrai beurre, que vous pourrez étendre sur vos rôties ! Quand même, ce n'est pas si banal comme expérience, non ?

Bon déjeuner !

MISSION
ACCOMPLIE

DATE DE LA MISSION :

jour   mois   année

AVEC QUI ?

IMPRESSIONS SUR L'EXPÉRIENCE :

DÉCRIRE LE GOÛT DU BEURRE :

㉙ EXPÉRIMENTER LE TATOUAGE NATUREL

Vous aimeriez vous faire tatouer un gros dessin de dragon monstrueux aux dents acérées ou juste une toute petite étoile, mais vos parents ne sont pas d'accord ? Je peux les comprendre. En attendant d'être adulte et de pouvoir prendre vous-même une telle décision, je vous propose d'essayer un tatouage tout à fait naturel, semi-permanent, sans encre et indolore : un tatouage solaire.

La technique est simple. Vous trouverez, à la fin de ce livre, une série d'autocollants. Lors d'une belle journée ensoleillée, appliquez-en un ou plusieurs sur votre peau à l'endroit désiré, et étendez-vous ensuite au soleil. Le soir venu, lorsque vous retirerez l'autocollant, vous devriez voir apparaître la ou les formes préalablement choisies, bien imprégnées sur votre peau (vous pouvez aussi attendre au lendemain matin pour retirer le ou les autocollants). La beauté avec ce genre de tatouage est que si vous êtes tanné de le voir, vous n'avez qu'à vous refaire bronzer sans l'autocollant, et l'image disparaîtra ! **MAGIE ! MAGIE !**

Mise en garde : Vous n'êtes pas sans savoir que les rayons de notre beau soleil sont très puissants et qu'ils peuvent rapidement brûler la peau. Alors, n'oubliez pas d'appliquer de la crème solaire !

MISSION ACCOMPLIE

DATE DE LA MISSION :

| jour | mois | année |

CONDITIONS MÉTÉO :

AUTOCOLLANT CHOISI (COCHER) :

OÙ L'AI-JE APPOSÉ SUR MON CORPS ? ....

COMBIEN DE TEMPS L'AI-JE LAISSÉ ? ....
....

COMMENTAIRES SUR L'EFFET QUE ÇA A DONNÉ : ....
....
....
....
....
....
....

COLLEZ VOTRE PHOTO ICI

À REFAIRE :  SANS FAUTE   PLUS JAMAIS   POURQUOI PAS

30 VOIR DE PRÈS UN ANIMAL EXOTIQUE OU PARTICULIER

Que ce soit une girafe, un chimpanzé, un panda, un requin, un ours polaire ou même un orignal, c'est toujours impressionnant de voir un animal sauvage de près. Malheureusement, comme ils ne sortent pas souvent en ville, il faudrait aller dans leur habitat naturel pour espérer les croiser. C'est-à-dire en forêt, au pôle Nord, en haute mer ou encore en pleine savane africaine, ce qui est plus ou moins évident... Entre vous et moi, vaut mieux aller au zoo, où l'on retrouve des animaux de toutes les espèces, originaires de toutes les régions du monde. C'est beaucoup plus simple... et surtout, plus sécuritaire !

Tiens, une idée ! : Comme « animal » ne veut pas juste dire « bibitte poilue à quatre pattes », vous pouvez choisir d'aller voir un dauphin, un crocodile ou même une baleine. D'ailleurs, saviez-vous qu'il est possible d'apercevoir ces gigantesques monstres marins au Québec ? Eh oui ! À Tadoussac, entre autres, dans la région de la Haute-Côte-Nord. Si vous avez une chance de passer par là cet été, allez faire une excursion aux baleines en bateau, ça vaut le détour !

Note : Pour consulter la liste des zoos et aquariums de partout au Québec, rendez-vous à la fin de ce livre. Les adresses et numéros de téléphone y sont tous !

Conseil d'amie : Appelez toujours avant de vous rendre à l'un ou l'autre de ces endroits pour vous assurer que c'est ouvert.

MISSION
ACCOMPLIE

DATE DE LA MISSION :

jour

mois

année

ENDROIT :

AVEC QUI ?

ANIMAUX QUI M'ONT LE PLUS IMPRESSIONNÉ :

•

•

•

ANIMAUX QUI M'ONT FAIT PEUR :

★

★

★

ANIMAUX AVEC LESQUELS JE SUIS TOMBÉ EN AMOUR :

♥

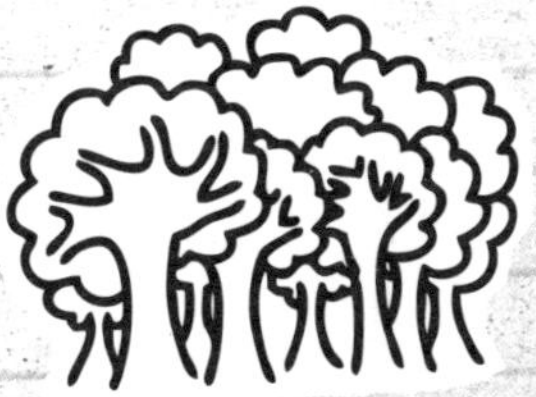

♥

♥

♥

À REFAIRE : ◯ SANS FAUTE ◯ PLUS JAMAIS ◯ POURQUOI PAS

COLLEZ
VOTRE PHOTO
ICI

VOUS POUVEZ AUSSI
LES DESSINER

CET ANIMAL EST ....

COLLEZ
VOTRE PHOTO
ICI

COLLEZ
VOTRE PHOTO
ICI

COLLEZ
VOTRE PHOTO
ICI

ZOO

CET ANIMAL EST ....

31 DESSINER OU ÉCRIRE AVEC VOTRE MAUVAISE MAIN

Avez-vous déjà essayé d'écrire ou de dessiner de votre « **mauvaise** » main, c'est-à-dire celle que vous n'utilisez habituellement pas pour écrire ? Je vous mets au défi de tenter l'expérience ! Vous serez surpris de constater à quel point c'est difficile.

Commencez par écrire un mot ou par faire un dessin de votre main la plus habile dans le premier carré à la page de droite. Essayez ensuite de le reproduire avec votre autre main – la moins habile – dans la case suivante. Y aura-t-il une différence entre les deux, selon vous ? Probablement, à moins que vous soyez ambidextre* !

* Ambidextre : Habile des deux mains.

MISSION ACCOMPLIE

DATE DE LA MISSION :

jour

mois

année

MOT OU DESSIN AVEC MA BONNE MAIN :

MOT OU DESSIN AVEC MA MAUVAISE MAIN :

IMPRESSIONS / CONSTAT : ....
....
....
....

32 TROUVER UN TRÈFLE À QUATRE FEUILLES

Un trèfle est normalement constitué de trois feuilles, qu'on appelle folioles. Mais il arrive parfois que poussent des trèfles composés de quatre feuilles ! Comme ceux-ci sont plutôt rares, on dit qu'ils portent chance. Malgré que cette croyance ne soit que pure superstition, la plupart des gens qui découvrent un trèfle à quatre feuilles le conservent quand même précieusement, au cas où... Après tout, ça ne coûte rien. Et puis, si c'était vrai ? On ne sait jamais !

Conseil d'amie : Les trèfles en général, peu importe le nombre de feuilles, poussent rarement en pleine ville, sauf sur de petits coins de verdure. Pour augmenter vos chances d'en trouver, je vous conseille de chercher dans un champ ou dans un parc...
BONNE CHASSE !

Chance !

DATE DE LA MISSION :

jour	mois	année

ENDROIT : _____

COLLEZ VOTRE TRÈFLE

COMBIEN DE TEMPS ÇA M'A PRIS POUR LE TROUVER ?

_____

L'AI-JE TROUVÉ PAR HASARD ?
COMMENT ÇA S'EST PASSÉ :

_____
_____
_____
_____
_____
_____

33) FAIRE UN TROU D'UN COUP AU MINI-PUTT

Yé

Tout le monde aime s'adonner à une petite partie de mini-putt entre amis, non ? C'est rigolo et ça fait ressortir l'esprit de compétition en nous ! Car tout le monde souhaite secrètement non seulement battre ses adversaires, mais aussi faire entrer cette fameuse balle d'un seul coup ! Allez, avouez-le... C'est un défi tout à fait réaliste et pas si difficile à réussir. Il faut juste un peu de concentration, un bon visou... **ET VLAN !**

Il existerait plus d'une quarantaine de centres de mini-golf au Québec. Il y en a peut-être un près de chez vous ? Sinon, cette mission vous donnera une raison de voyager un peu !

Pour connaître les adresses, vous savez quoi faire... Dépêchez-vous d'aller en consulter la liste à la toute fin de ce livre ! En espérant qu'ils soient tous ouverts !

DATE DE LA MISSION :

jour

mois

année

ENDROIT : ....

JOUEURS : ....
....
....

NUMÉRO DU TROU RÉUSSI EN UN SEUL COUP : ....

SIGNATURE D'UN TÉMOIN :

IMPRESSIONS / ANECDOTES / AUTRES :
....
....
....
....
....
....
....

À REFAIRE : ⬤ **SANS FAUTE**   ⬤ **PLUS JAMAIS**   ⬤ **POURQUOI PAS**

34 FAIRE BONDIR UN GALET À LA SURFACE DE L'EAU

Vous savez, ce caillou plat et lisse, aux coins arrondis, que l'on trouve sur le bord des plages ? Eh bien, c'est en plein ce qu'on appelle un galet. Comme c'est satisfaisant d'arriver à en faire sautiller un à la surface de l'eau et de le voir s'éloigner rapidement vers l'horizon ! **AHHHH...**

Voici le truc pour le faire rebondir sur l'eau (parce que ça ne se fait pas juste de même, sans technique !) :

- D'abord, il vous faut trouver... un galet ! Duh...
- Ensuite, le lancer. Vous devez vous pencher de côté pour bien vous aligner sur la surface de l'eau, et l'envoyer d'un petit coup sec, le plus horizontalement possible, en frôlant la surface.

Si vous le lancez trop haut, il créera une courbe dans les airs et finira sa course directement au fond de l'eau, sans jamais rebondir. La technique du lancer est donc très importante. Ajoutez à cela quelques coups d'entraînement et un peu de patience, et vous devriez y arriver.

À VOUS DE JOUER !

MISSION ACCOMPLIE

DATE DE LA MISSION :

jour	mois	année

CONDITIONS MÉTÉO :

☐ ☐ ☐ ☐ ☐

ENDROIT : ....

COMPLICES / TÉMOINS : ....

PLUS GRAND NOMBRE DE BONDS RÉUSSIS AVEC UN GALET : _____

SIGNATURE DU TÉMOIN :

IMPRESSIONS / NOTES / ANECDOTES : ....
....
....
....
....
....
....
....

À REFAIRE : ☐ SANS FAUTE   ☐ PLUS JAMAIS   ☐ POURQUOI PAS

35 CONCOCTER VOTRE PROPRE RECETTE DE POPSICLES

J'aurais pu vous lancer le défi de cuisiner un souper pour six personnes, mais je me suis dit que faire des popsicles serait beaucoup plus simple et beaucoup moins dangereux !   Pas besoin d'utiliser de gros couteaux, d'allumer un rond de poêle ou de faire chauffer le four. Vous jouerez au chef en concoctant simplement le meilleur des mélanges de saveurs. Le reste va se faire tout seul, au congélateur. **TADAM !**

Vous pouvez, par exemple, créer vos sucettes glacées à base de yogourt, de Jell-O ou de différentes sortes de jus, en y ajoutant des morceaux de fruits frais. Laissez-vous guider par votre instinct et vos propres goûts, et ça devrait être bon ! Et attention, c'est sérieux : pour que cette mission soit considérée comme réussie, il faut que vos popsicles maison soient « mangeables »... c'est-à-dire comestibles, évidemment, mais aussi bons au goût !

Détail pas nono du tout : Idéalement, il vous faudra des moules à popsicles ou, si vous n'en avez pas, des petits verres de plastique et des bâtons de popsicles. À moins que vous appeliez ça des « sorbets » et que vous les mangiez à la cuillère... Ben, oui, pourquoi pas ! Tout est possible. Après tout, c'est le goût qui compte, pas la forme !

MISSION
ACCOMPLIE

DATE DE LA MISSION :

| jour | mois | année |

INGRÉDIENTS DE MA RECETTE SECRÈTE DE POPSICLES MAISON :

COMMENTAIRES DES AMIS QUI Y ONT GOUTÉ :

  NOM DE L'AMI :
NOTE :   /10

COMMENTAIRES:

  NOM DE L'AMI :
NOTE :   /10

COMMENTAIRES:

NOM DE L'AMI :
NOTE :   /10

COMMENTAIRES:

NOM DE L'AMI :
NOTE :   /10

COMMENTAIRES:

 NOM DE L'AMI :
NOTE :   /10

COMMENTAIRES:

 NOM DE L'AMI :
NOTE :   /10

COMMENTAIRES:

 NOM DE L'AMI :
NOTE :   /10

COMMENTAIRES:

36 JONGLER À 3 BALLES

Avouez que c'est impressionnant de voir quelqu'un jongler ! Et pourtant, ce n'est pas si compliqué. Je le sais, car il m'arrive moi-même de m'adonner à ce drôle de loisir ! En fait, le truc pour y arriver, c'est de s'exercer. Donc, a priori, tout le monde peut réussir, il faut juste être patient et persévérant. Alors ne tardez pas trop à vous y mettre si vous voulez accomplir cette mission avant la fin de l'été !

Technique de base pour jongler à trois balles :

1) Commencez avec une seule balle en vous la lançant de la main droite vers la main gauche, et vice-versa, en lui donnant un peu de hauteur.

2) Quand vous êtes bien à l'aise avec une balle, ajoutez la deuxième en répétant le même exercice, mais cette fois-ci en croisant les balles dans les airs, devant vous, en les lançant l'une après l'autre, sans trop de délais.

3) Puis, quand vous maîtrisez l'étape 2, ajoutez la troisième balle. C'est là que ça se corse ! Le principe est le même qu'aux deux autres étapes, mais avec trois balles. Concentrez-vous bien... À force d'essayer, vous y arriverez !

Quelles balles utiliser ?

Idéalement, pas des balles qui rebondissent et roulent – comme des balles de tennis –, car vous passerez tout votre temps à courir après. Le mieux serait de vous procurer de vraies balles à jongler au magasin, ou de vous en fabriquer ! C'est facile.

Pour savoir comment vous y prendre, venez voir par ici :
Scannez le code QR (lien pour visionner la vidéo)

Si vous ne possédez pas d'appareils pour scanner le code, rendez-vous sur **lesmalins.ca** et regardez la vidéo sur la page consacrée au livre.

MISSION ACCOMPLIE

DATE DE LA MISSION :

| jour | mois | année |

TÉMOINS : ....

COMBIEN D'HEURES OU DE JOURS ÇA M'A PRIS POUR Y ARRIVER ? ....

COMMENTAIRES / IMPRESSIONS SUR MON EXPÉRIENCE : ....

....

....

....

....

....

....

....

....

....

....

....

....

....

À REFAIRE :  SANS FAUTE  PLUS JAMAIS POURQUOI PAS

37 GRILLER DES GUIMAUVES À LA PERFECTION

GUIMAUVES

Miam, miam... Des guimauves grillées sur le feu, ça, c'est bon ! Pour bien les réussir, ça prend un feu de camp et un assez long bâton (une branche morte ou une broche à saucisses...) qui vous permettra d'atteindre la braise, c'est-à-dire les petits charbons rouges à la base du feu, sans vous brûler les doigts ! Si vous placez votre guimauve directement au-dessus des grosses flammes, elle va cramer en deux secondes et fondre avant même que vous ayez le temps de vous la mettre sous la dent.

Truc de pro : Le truc pour un grillage parfait, égal partout, c'est d'y aller lentement mais sûrement, en faisant pivoter votre bâton pour mieux contrôler le niveau de cuisson désiré sans que ça noircisse. Griller des guimauves sur le feu, c'est tout un art !

Détail pas nono du tout : N'oubliez pas de souffler quelques coups sur votre guimauve avant de mordre dedans, sinon, ouch ! Vous risquez de vous brûler la langue bien comme il faut !

VOTRE MISSION EST RÉUSSIE ? COLLEZ VOTRE AUTOCOLLANT ICI !

MISSION
ACCOMPLIE

DATE DE LA MISSION :

_____ jour   _____ mois   _____ année

ENDROIT :   HEURE :

AVEC QUI ?

NOMBRE DE GUIMAUVES ENGLOUTIES ! :

IMPRESSIONS / NOTES / ANECDOTES :

À REFAIRE : ☐ SANS FAUTE   ☐ PLUS JAMAIS   ☐ POURQUOI PAS

38 DONNER QUELQUE CHOSE

Il y a des tas de façons de donner : on peut donner du temps, pour écouter ou aider un ami qui traverse une période difficile, ou encore un bien matériel en assez bon état qui servira à quelqu'un d'autre. D'ailleurs, vous avez certainement un jeu, un jouet, un toutou ou des vêtements dont vous ne vous servez plus, non ? N'importe lequel des centres de dons près de chez vous se fera un plaisir de récupérer ces objets, et de s'assurer qu'ils serviront à quelqu'un !

Et si vous départir de vos vieux jouets vous rend tristounet, pensez au bonheur qu'éprouveront ceux qui vont les recevoir... Cela devrait suffire à vous réconforter.

MISSION
ACCOMPLIE

DATE DE LA MISSION :

| jour | mois | année |

OBJET DONNÉ (OU AUTRE) :

....

....

....

....

....

....

SENTIMENTS ÉPROUVÉS AVANT DE DONNER ET APRÈS :

....

....

....

....

....

....

....

....

À REFAIRE : ☐ SANS FAUTE   ☐ PLUS JAMAIS   ☐ POURQUOI PAS

39 JOUER UN AIR SUR DES VERRES

Saviez-vous qu'en mouillant votre index et en le faisant glisser sur le rebord d'un verre, vous pouviez produire un son ? Celui-ci varie selon la quantité de liquide qui se trouve dans le verre. En effet, plus le verre est plein, plus le son émis est grave. Ainsi, en remplissant plusieurs verres à différents niveaux, vous devriez obtenir suffisamment de sons différents pour jouer une mélodie. **Génial, non** ?

Comment accorder les verres ? Tout simplement en variant la quantité de liquide qu'ils contiennent, soit en la diminuant, soit en l'augmentant d'un verre à l'autre !

Une fois cette étape complétée, il ne vous reste plus qu'à vous exécuter ! **MUSIQUE, MAESTRO !**

Détail pas nono du tout : Utilisez des verres de forme identique ou, à tout le moins, de même taille, et espacez-les légèrement afin qu'ils ne se touchent pas.

Plan B : Si vous n'arrivez vraiment pas à émettre de son en frottant le rebord des verres avec votre doigt, servez-vous d'un objet, comme d'un ustensile ou d'un crayon à mine, pour faire de la musique en tapant doucement sur les verres, comme si vous jouiez sur un xylophone. Mais sans casser de verre, quand même !

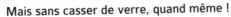

MISSION
ACCOMPLIE

DATE DE LA MISSION :

jour   mois   année

MÉLODIE INTERPRÉTÉE :

IMPRESSIONS / NOTES / ANECDOTES :

PUBLIC / TÉMOINS :

À REFAIRE :   ▓ SANS FAUTE   ▓ PLUS JAMAIS   ▓ POURQUOI PAS

40 RÉAMÉNAGER VOTRE CHAMBRE

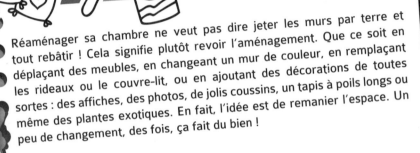

Réaménager sa chambre ne veut pas dire jeter les murs par terre et tout rebâtir ! Cela signifie plutôt revoir l'aménagement. Que ce soit en déplaçant des meubles, en changeant un mur de couleur, en remplaçant les rideaux ou le couvre-lit, ou en ajoutant des décorations de toutes sortes : des affiches, des photos, de jolis coussins, un tapis à poils longs ou même des plantes exotiques. En fait, l'idée est de remanier l'espace. Un peu de changement, des fois, ça fait du bien !

Trucs déco :
- Peinturer un vieux meuble et en changer les poignées peut lui donner une tout autre allure.
- Des cadres de différentes formes et dimensions, contenant des photos d'amis, de membres de votre famille ou de votre animal de compagnie, égaient de belle façon un grand mur vide.
- Reproduire un dessin ou des motifs particuliers sur un mur. Pourquoi pas ?!

Bref, il existe des dizaines de possibilités ! À vous de vous creuser un peu les méninges pour trouver votre façon personnelle et unique de réaménager votre pièce. Et si l'inspiration ne vient pas, vous pouvez toujours consulter des magazines de décoration. Vous y trouverez une foule de bonnes idées !

Mise en garde : Avant de déplacer un gros meuble ou de monter sur une chaise pour suspendre un cadre au mur, demandez donc à quelqu'un de vous assister... juste au cas où !

MISSION ACCOMPLIE

DATE DE LA MISSION :

| jour | mois | année |

DESSINER LE PLAN DE **AVANT** LE RÉAMÉNAGEMENT

DESSINER LE PLAN DE **APRÈS** LE RÉAMÉNAGEMENT

41 VIVRE COMME DANS LE BON VIEUX TEMPS

Ah, le bon vieux temps ! J'imagine que vos parents et vos grands-parents vous en ont déjà glissé un mot. Peut-être même qu'ils vous en parlent tellement souvent que vous auriez envie de reculer dans le temps... Alors, dans ce cas, pourquoi ne pas tenter l'expérience de vivre comme à l'époque ? Regarder la télévision en noir et blanc, recevoir des oranges en cadeau à Noël ou encore marcher des kilomètres, matin et soir, pour vous rendre à l'école...

Mais non, je blague ! Vous ne devez pas vous imposer ça ! Ce que je vous suggère comme « mission du bon vieux temps », c'est d'entrer en contact avec un être cher, mais pas par Facebook, ni par courriel, ni par texto : en lui écrivant une lettre à la main et en la lui postant dans une boîte aux lettres ! (Vous savez, les drôles de coffres en métal rouge debout, qu'on voit parfois aux coins des rues ? Voilà à quoi ils servent !)

Non mais, imaginez-vous recevoir une lettre par la poste, à votre nom. Vous seriez fou de joie, admettez-le ! Et je ne parle pas d'un bulletin d'école ou d'une publicité de camp de jour, mais d'une vraie lettre, écrite par un ami ou un parent ! Vous verrez, c'est pas si nul que ça, tsé, le bon vieux temps.

Truc de pro : Pour augmenter vos chances de recevoir une réponse à votre lettre, vous pouvez inclure à votre envoi une enveloppe préaffranchie, c'est-à-dire sur laquelle se trouvera déjà votre adresse et... un timbre ! Ainsi, l'être cher n'aura pas d'excuses pour ne pas vous répondre !

P.-S. N'oubliez pas d'inscrire le code postal...

MISSION ACCOMPLIE

DATE DE LA MISSION :

jour	mois	année

BROUILLON DE LA LETTRE :

....

....

....

....

....

....

....

....

....

....

....

....

....

....

NOM DE LA PERSONNE À QUI JE L'AI ENVOYÉE : ....

M'A-T-ELLE RÉPONDUE ? .... ● OUI   ● NON

IMPRESSIONS SUR MON EXPÉRIENCE : ....

....

....

....

42 PÉDALER, COURIR OU PATINER LE PLUS LONGTEMPS POSSIBLE

Ça, c'est tout un défi, parce que pour réussir cette mission, vous devrez... SOUFFRIR ! Gna, gna, gna !

En fait, le but est simple : il s'agit de soutenir un effort physique intense le plus longtemps possible, sans vous arrêter ! Que ce soit pédaler, courir, patiner ou même trottiner, peu importe, je vous laisse choisir votre discipline.

La bonne nouvelle est que vous avez tout l'été pour vous entraîner ! Alors, allez-y à votre rythme en augmentant graduellement la durée de l'exercice. La distance parcourue importe peu, car c'est le temps d'effort qui compte. Non seulement cette mission mettra votre endurance à l'épreuve, mais elle vous gardera aussi en pleine forme ! Trois, deux, un... Go ! Go ! Go ! Vous êtes capable !

Et qui sait ! Une fois ce défi relevé, vous pourrez peut-être dire que vous avez battu votre record personnel d'activité physique à vie ! Serait-ce assez pour vous motiver ? Je l'espère !

Truc de pro : Si vous le pouvez, buvez de petites gorgées d'eau tout au long de votre entraînement. Sinon, buvez-en avant de commencer et en terminant, surtout s'il fait très chaud, pour bien vous hydrater.

Mise en garde : Attention de ne pas pousser votre corps à bout. Normalement, quand vous atteindrez votre capacité maximale, vous devriez le ressentir. Restez bien attentif aux signaux que votre corps vous enverra !

VOTRE MISSION EST RÉUSSIE ? COLLEZ VOTRE AUTOCOLLANT ICI !

DATE DE LA MISSION :

jour	mois	année

JOUR	SPORT	TEMPS
1		
2		
3		
4		
5		
6		
7		
8		
9		
10		

IMPRESSIONS : _____

_____

_____

_____

_____

43 ENSEIGNER QUELQUE CHOSE À QUELQU'UN

On est tous bons dans quelque chose. Oui, oui, ne soyez pas trop humble. Pour réussir cette mission, vous devrez déceler quel est ce « **petit quelque chose** » que vous savez faire mieux que les autres, pour ensuite l'enseigner à autrui.

Serait-ce jouer d'un instrument de musique, exécuter un move en skate, parler une langue étrangère ou connaître un super truc pour mieux dessiner ? Pensez-y, il y a sûrement quelque chose qui va vous venir en tête. Le partage des connaissances, c'est la base de l'apprentissage ! Après tout, il a bien fallu qu'on vous l'enseigne un jour, à vous aussi, ce talent que vous possédez, non ? ☺

MISSION ACCOMPLIE

DATE DE LA MISSION :

| jour | mois | année |

TALENT...

À QUI L'AI-JE ENSEIGNÉ ? : ....
....

EST-CE QUE ÇA A FONCTIONNÉ?.................................
....

ME SUIS-JE TROUVÉ BON PROFESSEUR ? ....
....

IMPRESSIONS / NOTES / ANECDOTES : ....
....
....
....
....
....
....
....

44 CRÉER VOTRE ARBRE GÉNÉALOGIQUE

Connaissez-vous vos ancêtres ? Ce sont les membres de votre famille, autant du côté de votre mère que de celui de votre père, qui ont vécu avant vos arrière-grands-parents. Évidemment, vous ne pouvez pas les avoir rencontrés, mais savez-vous qui ils étaient ?

Pour le savoir, vous pouvez créer votre arbre généalogique, en demandant l'aide de vos parents, de vos grands-parents ou même de vos arrière-grands-parents (s'ils sont encore vivants, bien entendu...) qui ont peut-être côtoyé vos aïeux ou, du moins, qui en ont entendu parler.

Par contre, pour découvrir qui étaient vos ancêtres plus éloignés, ça va demander un peu plus de recherches. Si vous voulez vous rendre jusque-là, il y a des sites Internet et des livres où vous pouvez encore fouiller. Sait-on jamais, peut-être êtes-vous le descendant d'un roi célèbre ? Ou encore d'un brave combattant, d'un scientifique émérite ou d'une belle princesse ? Tout est possible !

Note : Évidemment, votre place à vous, dans l'arbre, sera tout en bas, car comme vous êtes encore très jeune, vous faites partie de la dernière génération de votre famille. Un jour, si vous avez des enfants, l'arbre pourra continuer de grandir !

Tiens, une idée ! : Tant qu'à y être, proposez à vos grands-parents, ou arrière-grands-parents, d'ouvrir ensemble une vieille boîte ou un album de photos anciennes. Ils seront certainement très heureux de vous raconter toutes sortes d'anecdotes liées à ces photos qui datent d'une tout autre époque.

MISSION ACCOMPLIE

DATE DE LA MISSION :

| jour | mois | année |

QUI M'A AIDÉ À TROUVER MES ANCÊTRES ?

....

....

Y AVAIT-IL DES GENS CÉLÈBRES PARMI EUX ? BONS OU MÉCHANTS ?
SI OUI, QUI ? ....

....

OÙ VIVAIENT MES ANCÊTRES ? ....
DANS QUEL PAYS ? ....

....

IMPRESSIONS / ANECDOTES LORS DE MA RECHERCHE :

....

....

....

....

....

....

....

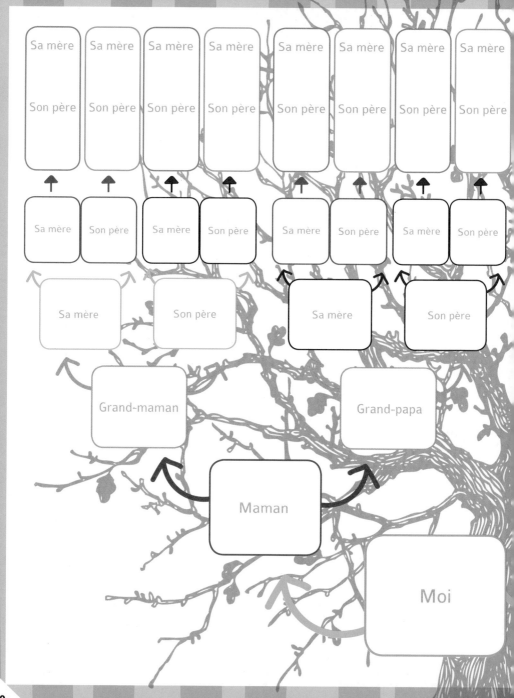

Sa mère
Son père

Sa mère
Son père

Sa mère
Son père

Sa mère
Son père

Sa mère
Son père

Sa mère
Son père

Sa mère
Son père

Sa mère
Son père

Sa mère
Son père

Sa mère
Son père

Sa mère
Son père

Sa mère
Son père

Sa mère

Son père

Sa mère

Son père

Grand-maman

Grand-papa

Maman

Moi

110

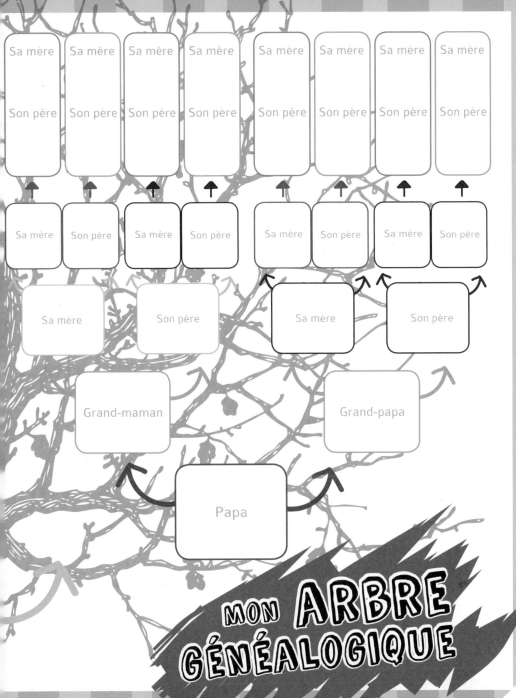

Sa mère Son père
Sa mère Son père
Sa mère Son père
Sa mère Son père
Sa mère Son père
Sa mère Son père
Sa mère Son père
Sa mère Son père

Sa mère Son père
Sa mère Son père
Sa mère Son père
Sa mère Son père

Sa mère
Son père
Sa mère
Son père

Grand-maman
Grand-papa

Papa

MON ARBRE GÉNÉALOGIQUE

45 ADMIRER UN LEVER OU UN COUCHER DE SOLEIL

Où que vous soyez dans le monde, le soleil va toujours se lever et se coucher, chaque matin et chaque soir. Vous n'avez donc aucune excuse : ne passez pas à côté de ce spectacle absolument magnifique... et gratuit ! Vous verrez, le ciel change complètement de couleur ; il passe du rouge au bleu, ou du bleu à l'orangé foncé. C'est magique !

Par contre, pour voir le soleil se lever, vous devez vous réveiller... avant lui ! En été, au Québec, il commence à émerger vers les 5 h du matin. Ouf, c'est un peu tôt !... Heureusement, il y a aussi le coucher de soleil qui, lui, peut tarder jusque vers les 21 h 30 en tout début d'été.

Le saviez-vous ? Le jour où le soleil se couche le plus tard de l'année s'appelle « solstice d'été » et a lieu le 21 juin, soit le premier jour officiel de l'été. Et le jour le plus court, lui ? C'est le solstice d'hiver, qui a lieu le 21 décembre, soit le premier jour officiel de l'hiver !

MISSION
ACCOMPLIE

DATE DE LA MISSION :

jour   mois   année

LEVER OU COUCHER DU SOLEIL ?

OÙ ?
À QUELLE HEURE ?
AVEC QUI ?

DESCRIPTION DU SPECTACLE :

IMPRESSIONS / COMMENTAIRES :

PREMIÈRE FOIS ?

46 FAIRE 25 PUSH-UPS

Parce qu'il faut bien garder la forme ! Je me suis dit que faire 25 push-ups (ou pompes, en bon français), c'est pas mal, comme défi. Surtout que vous êtes jeune et en bonne santé. Si vous arrivez à en faire plus, tant mieux ! Vous pouvez même vous fixer votre propre but! Je suis curieuse de savoir jusqu'à combien vous pourrez vous rendre...

Truc de pro : Pour faire un vrai bon push-up, on doit tenir son corps droit comme une barre, contracter ses muscles abdominaux (ceux du ventre), se placer en appui sur ses orteils et sur ses mains, les bras bien raides, et descendre vers le sol en pliant les coudes pour aller toucher par terre avec son nez, avant de remonter. Faites-moi de vraies pompes ! Pas de tricherie !

1-2 !
1-2 !

DATE DE LA MISSION :

jour	mois	année

NOMBRE DE PUSH-UPS : JOUR 1-
JOUR 2-
JOUR 3-
JOUR 4-
JOUR 5-
JOUR 6-
JOUR 7-
JOUR 8-
JOUR 9-
JOUR 10-

OBJECTIF VISÉ :

NOMBRE DE PUSH-UPS FINAL :

SIGNATURE D'UN TÉMOIN :

47 FAIRE UN PLONGEON EXPLOSIF

SPLASH!

Vous savez, le genre de saut qui arrose tout le monde autour de la piscine et qui fait un énorme « **SPLASH** » quand on entre dans l'eau ? Ce n'est pas pour rien qu'on l'appelle « une bombe » ! Eh bien, c'est exactement ce genre de plongeon là que je vous donne pour mission d'exécuter.

Enfilez votre plus beau maillot et attendez qu'il y ait pas mal de gens rassemblés autour de la piscine avant de vous élancer. L'impact n'en sera que plus grand... et vous allez créer tout un émoi, je vous le jure ! Alors, quand vous êtes prêt, allez-y : trois, deux, un...
KABOUM !

Truc de pro : Sautez bien haut et droit dans les airs en agrippant une ou deux jambes avec vos bras (selon votre style), avant de vous laisser tomber dans l'eau, en retenant votre souffle. Tout simplement !

Mise en garde : Assurez-vous qu'il y ait assez d'eau dans la piscine. Se cogner les fesses ou se briser une jambe dans le fond, c'est une finale très désagréable à tout plongeon explosif ! Capice ?

Note : Si quelqu'un vous en veut de l'avoir arrosé, dites-lui gentiment que... c'est juste de l'eau ! Hi l hi !

MISSION ACCOMPLIE

DATE DE LA MISSION :

| jour | mois | année |

CONDITIONS MÉTÉO :

☐ ☀ ☐ ⛅ ☐ ☁ ☐ 🌧 ☐ ⛈

NOMBRE DE SPECTATEURS : ....

ENDROIT : ....

EFFET CRÉÉ PAR MON PLONGEON : ....

ANECDOTES : ....
....
....
....
....
....
....
....
....
....

À REFAIRE :  ● SANS FAUTE   ● PLUS JAMAIS   ● POURQUOI PAS

48 TRAVERSER UN PONT À PIED

Mais quelle drôle d'idée ! Pourquoi vous faire traverser un pont à pied ? Eh bien, parce qu'un pont, c'est haut et ça passe au-dessus de l'eau ! Voilà deux bonnes raisons !

Sans blague, quand on traverse un pont en voiture, on n'éprouve pas les mêmes sensations qu'à pied. La hauteur réelle, les vibrations et les mouvements que créent les voitures sur la structure lorsqu'elles circulent... C'est un thrill intéressant. De plus, comme la plupart des gens n'aiment pas trop les hauteurs, cela peut être un bon exercice pour vaincre ses peurs...

Note : Vous n'êtes pas obligé de traverser le pont Jacques-Cartier. Un pont de plus petite taille fera très bien l'affaire. De plus, vous devriez idéalement être accompagné d'un adulte pour accomplir cette mission.

Mise en garde : Assurez-vous (avant !) qu'il y ait une rampe ou un trottoir spécialement conçu pour les piétons sur le pont que vous allez traverser. Sinon, ne vous y aventurez pas ! Ça pourrait être très dangereux.

Conseil d'amie : Si dès le début de votre traversée vous n'aimez vraiment pas la sensation, ou si vous vous sentez mal, pensez vite à rebrousser chemin. Arrivé en plein milieu du pont, ce ne sera plus le moment de changer d'idée ! À ce compte-là, aussi bien continuer jusqu'au bout !

MISSION ACCOMPLIE

DATE DE LA MISSION :

jour

mois

année

NOM DU PONT :

ENDROIT OÙ IL EST SITUÉ :

IL PASSE AU-DESSUS DE QUELLE RIVIÈRE / FLEUVE / LAC ?

AVEC QUI JE L'AI TRAVERSÉ ?

TEMPS POUR LE TRAVERSER. :

IMPRESSIONS :

À REFAIRE : ● SANS FAUTE   ● PLUS JAMAIS   ● POURQUOI PAS

49 COMMENCER UNE COLLECTION

Il y a tant de choses que l'on peut collectionner ! Des coquillages, des pièces de monnaie, des poupées, des timbres et même de vieilles voitures ! En fait, tout objet qui se conserve longtemps. Donc, s'il vous vient l'idée de commencer une collection de fromages, je vous suggérerais de trouver autre chose... **BEEEEUUUURK...**

Moi, par exemple, je collectionne les accroche-porte des hôtels où je loge. Vous savez, ces cartons que l'on suspend à la poignée de porte pour indiquer que l'on ne veut pas être dérangé ? C'est ma façon à moi de me rappeler où j'ai voyagé ! Et vous, que collectionnez-vous ? Ou plutôt, qu'aimeriez-vous collectionner ?

MISSION
ACCOMPLIE

DATE :

jour   mois   année

★

OBJETS COLLECTIONNÉS : _____

NOMBRE ACCUMULÉ :_____

DEPUIS QUAND ? _____

POURQUOI COLLECTIONNER ÇA ? _____

★

OBJETS COLLECTIONNÉS : _____

NOMBRE ACCUMULÉ :_____

DEPUIS QUAND ? _____

POURQUOI COLLECTIONNER ÇA ? _____

★

OBJETS COLLECTIONNÉS : _____

NOMBRE ACCUMULÉ :_____

DEPUIS QUAND ? _____

POURQUOI COLLECTIONNER ÇA ? _____

50 ACCOMPLIR VOTRE PROPRE MISSION

Ah, ha ! À vous maintenant d'imaginer la mission que vous devrez accomplir. Quelque chose que vous rêvez de faire depuis longtemps, une activité qui vous intrigue ou que vous n'avez jamais osé essayer, par peur, par manque de confiance en vous... Mais puisqu'on parle de mission, ne l'oubliez pas, ce « quelque chose », quel qu'il soit, devra quand même vous demander un certain effort !

Allez-y, c'est votre dernier défi ! Je vous fais confiance, et je suis certaine que vous trouverez. Soyez inventif, soyez prudent... et surtout, **AMUSEZ-VOUS BIEN !**

MISSION ACCOMPLIE

DATE DE LA MISSION :

jour	mois	année

MISSION :

_____

DÉTAILS POUR LA RÉUSSIR :

_____
_____
_____

CONDITIONS À RESPECTER :

_____
_____
_____
_____

POURQUOI CETTE MISSION ? _____

_____
_____

NOTES/ANECDOTES/IMPRESSIONS

_____
_____
_____

MISSION
ACCOMPLIE

DATE DE LA MISSION :

MISSION
ACCOMPLIE

DATE DE LA MISSION :

CONCLUSION

Vous avez terminé ? **Bravo !** Peu importe le nombre de missions que vous avez accomplies, en partie ou en totalité, vous pouvez être fier de vous. Tout le monde n'a pas la même endurance, le même courage, les mêmes peurs, la même force physique, etc. Ce qui compte, c'est que **VOUS**, vous soyez satisfait de vos accomplissements personnels.

Ce que j'espère par-dessus tout, c'est que ces missions vous ont plu et diverti, bien sûr, mais aussi qu'elles vous ont permis de vous dépasser. Parce que c'est en repoussant nos limites qu'on devient plus fort ! ☺

Toutes
mes félicitations !

Vous avez envie de partager vos exploits, vos échecs, vos angoisses, vos peurs ? Vous êtes découragé et vous manquez de motivation pour accomplir vos dernières missions ? Ou vous désirez simplement me faire part de vos commentaires sur les activités proposées ?

Pour tout cela, ou toute autre chose, n'hésitez pas à m'écrire à l'adresse suivante : **annie@anniegroovie.com**

Cela me fera grand plaisir de vous lire, et de vous encourager s'il le faut !

AnnieGroovie xx

IDÉES DE SORTIES

... AU MUSÉE !

DANS LA RÉGION DE MONTRÉAL ET DE SES ENVIRONS

• **Cosmodôme** : Plus qu'un musée, c'est un lieu fascinant d'apprentissage exceptionnel ! Vous aurez l'occasion de voir un scaphandre d'entraînement, une roche lunaire et des météorites, en plus de répliques de fusées et de satellites. La section consacrée au système solaire est à couper le souffle ! 2150, autoroute des Laurentides, Laval. **(450) 978-3600**

• **Biosphère** : Dans une ambiance ludique et stimulante, la Biosphère présente des expositions et des activités animées qui permettent de mieux comprendre les grandes questions environnementales et de découvrir les solutions pour vivre en écocitoyen au quotidien. 160, chemin Tour-de-l'Isle, Île Sainte-Hélène, Montréal. **(514) 283-5000**

• **Centre des Sciences de Montréal** : Le Centre offre à ses visiteurs une approche interactive et ludique pour initier toute la famille aux notions scientifiques et technologiques qui composent notre quotidien. Au pied du boul. Saint-Laurent, angle de la Commune, Montréal. **(514) 496-4724**

• **Château Ramezay** : Lieu incontournable du Vieux-Montréal, le Château Ramezay vous invite à découvrir ses riches collections à travers ses expositions, alors que les personnages historiques du parcours multimédia vous raconteront leur vie de Château. 280, rue Notre-Dame Est, Montréal. **(514) 861-3708**

• **Insectarium** : Mille et une façons d'apprivoiser l'univers des insectes ! Outre son impressionnante collection de 160 000 spécimens, il abrite quelque 75 espèces qui s'ébattent dans des vivariums sous le regard des visiteurs ! 4581, rue Sherbrooke Est, Montréal. **(514) 872-1400**

• **Musée Grévin** (Musée de cire) : Plus de 120 personnalités québécoises, canadiennes, françaises et internationales, actuelles ou historiques, vous attendent pour faire des photos hors du commun ! De Céline Dion au célèbre joueur de hockey Patrick Roy, en passant par Justin Bieber et Ginette Reno, Grévin est un livre en 3 dimensions. Centre Eaton, 5e étage, 705, rue Sainte-Catherine Ouest, Montréal. **(514) 788-5210**

• **Planétarium** : Ce musée propose une approche inédite de l'astronomie dans un bâtiment au design audacieux situé à quelques pas du Biodôme. Les équipements à la fine pointe de la technologie qu'utilise le Planétarium promettent une expérience unique pour le public. 4801, ave. Pierre-De-Coubertin, Montréal. **(514) 872-4530**

EN GASPÉSIE

• **Maison Dr Joseph-Frénette** : Joseph Frenette exerçait la profession, aujourd'hui disparue, de médecin de campagne. L'exposition réalisée dans sa maison présente les objets, textes et photographies qui vous feront comprendre le rôle primordial du médecin dans l'histoire du Québec. 3, rue Frenette, Causapscal. **(418) 756-5999**

DANS LE BAS-ST-LAURENT

• **Musée du squelette** : Venez admirer une remarquable collection de plus de 400 squelettes ! Que savez-vous de la pousse des bois chez les cervidés, de la façon dont les éléphants et les lamantins renouvellent leur dentition? Comment distinguer un crocodile d'un alligator, un dinosaure carnivore d'un dinosaure herbivore? Pourquoi les plus grosses baleines sont-elles celles qui mangent les plus petites proies? Pour le savoir, venez passer quelques heures au Musée du squelette ! Chemin principal, Île-Verte. **(418) 898-5215**

DANS LA RÉGION DE QUÉBEC ET DE SES ENVIRONS

• **Musée de la civilisation** : À travers des expositions originales et diversifiées, de nombreuses activités culturelles et éducatives, sa programmation thématique lui permet de traiter tout autant des grands enjeux de l'heure que des multiples aspects de la vie quotidienne. C'est le musée de l'aventure humaine ! 85, rue Dalhousie, Québec. **(418) 643-2158**

• **Musée de l'abeille** : Pour tout apprendre sur les abeilles et le miel, visitez notre centre d'interprétation. Comment l'abeille produit le miel, quel est son rôle dans la ruche, pourquoi cet insecte est si important pour l'Homme ? Une halte gourmande incontournable pour les amoureux du miel. 8862, boul. Sainte-Anne, Château-Richer. **(418) 824-4411**

DANS LA RÉGION DE CHARLEVOIX

• **Musée maritime de Charlevoix** : Visiter le Musée maritime de Charlevoix, c'est découvrir comment naissent les goélettes, depuis la confection du moule jusqu'à leur lancement. 305, rue de l'Église, Saint-Joseph-de-la-Rive. **(418) 635-1131**

EN BEAUCE

• **Maison J-A Vachon** : Demeure ancestrale des petits gâteaux Vachon ! Accompagné d'un guide, vous apprendrez comment une famille a su faire preuve de dévouement et d'ingéniosité pour faire prospérer l'entreprise. Cette demeure vous transportera à l'époque où Rose-Anna préparait ses croquignoles sur son poêle à bois. Vous y découvrirez également le premier livre de recettes, celui-là même qui a servi à enregistrer les recettes des petits gâteaux à leur début. La visite se complète par une vidéo sur l'histoire et la fabrication des gâteaux en usine, sans oublier la remise de deux gâteaux par visiteur. 383, rue de la Coopérative, Sainte-Marie. **(418) 387-4052**

EN MAURICIE

• **Cité de l'énergie** : Complexe touristique à caractère scientifique et technologique où vous vivrez une expérience multisensorielle bouleversante grâce aux technologies multimédias les plus modernes. Une première du genre au Canada ! 1000, ave. Melville, Shawinigan. **(819) 536-8516**

DANS LES CANTONS DE L'EST

• **L'Astrolab du Parc du Mont-Mégantic** : Centre d'activités dédié à l'astronomie et à l'observation des étoiles. Situé à proximité de l'Observatoire du mont Mégantic, sous l'un des plus beaux ciels étoilés du Québec, l'ASTROLab offre des activités pour tous, de jour comme de soir, à la base comme au sommet de la montagne. 189, route du Parc, Notre-Dame-des-Bois. **(819) 888-2941**

• **Musée J. Armand Bombardier** : En parcourant l'exposition les visiteurs découvrent la vie et l'œuvre de cet illustre inventeur de la motoneige et suivent également la remarquable évolution de l'industrie de celle-ci de 1959 à nos jours. 1001, ave. J.-A.-Bombardier, Valcourt. **(450) 532-5300**

EN MONTÉRÉGIE

• **Électrium** (Centre d'interprétation de l'électricité d'Hydro-Québec) : Une façon dynamique et divertissante d'explorer l'électricité. Découvrez les mystères de l'anguille électrique, la fonction de l'électricité dans le corps humain et les phénomènes millénaires tels que la foudre et les aurores polaires. En compagnie d'un guide-animateur, expérimentez les circuits électriques et familiarisez-vous avec les champs électriques et magnétiques. 2001, rue Michael-Faraday, Sainte-Julie. **(450) 652-8977**

• **Exporail** (musée ferroviaire canadien) : Apprenez tout sur l'histoire ferroviaire canadienne et les tramways. Découvrez la plus importante collection de matériel ferroviaire au Canada, avec plus de 160 véhicules. Promenez-vous sur le site en tramway et en chemin de fer miniature pour tout connaître de l'univers du rail. 110, rue Saint-Pierre, Saint-Constant. **(450) 632-2410**

• **La Maison amérindienne** : Pour mieux connaître l'héritage des premières nations. Au son des chants et du tambour, vous apprécierez les savoir-faire traditionnels des Amérindiens en visitant, au rythme des saisons, les différentes expositions. L'animation avec contes et légendes, films, repas (sur réservation) à saveur amérindienne agrémenteront ces visites thématiques. 510, montée des Trente, Mont-Saint-Hilaire. **(450) 464-2500**

DANS LANAUDIÈRE

• **Musée Louis-Cyr** : Lors de votre visite, vous en apprendrez davantage sur Louis Cyr, sa vie d'homme fort, de policier, d'homme de cirque et sur sa famille. 215, rue Sainte-Louise, Saint-Jean-de-Matha. **(450) 886-1666**

EN ABITIBI-TÉMISCAMINGUE

• **Centre thémathique fossilifère** : Venez découvrir la faune du lac Témiscamingue d'il y a 480 à 440 millions d'années. Nos guides vous présenteront différentes familles de fossiles et leurs caractéristiques. Vous serez initié à la géologie, et si vous disposez de plus de temps, partez en safari-fossiles afin d'admirer les fossiles dans leur milieu naturel; vous aurez alors la chance de récolter quelques spécimens que vous apprendrez à identifier. 5, rue Principale, Notre-Dame-du-Nord. **(819) 723-2500**

• **Cité de l'Or** : Cité de l'or vous fait revivre la vie quotidienne des mineurs et de leurs familles. La Cité de l'Or est l'unique mine d'or ouverte au public au Québec. Tel un vrai mineur, équipé de vêtements, d'un casque et d'une lampe, plongez au cœur de la mine d'or la plus prospère du Québec entre 1940 et 1960. Sous terre, explorez les anciennes galeries minées par l'homme, assistez à une simulation de dynamitage et découvrez les équipements d'hier à aujourd'hui. 90, ave. Perreault, Val-d'Or. **(819) 825-1274**

• **L'École du Rang II d'Authier** : Notre belle petite école a accueilli des élèves de 1937 à 1958. Elle représente bien toutes les écoles de rang du Québec, tant par son cadre physique que par le matériel didactique qu'on y retrouve. Par le biais du théâtre de participation, il est possible d'y vivre une journée de classe typique des années 1940 et d'avoir ainsi l'occasion de rencontrer la maîtresse d'école, monsieur l'inspecteur et monsieur le curé. 269, Rang II (Route 111), Authier. **(819) 782-3289**

Pour la liste complète des musées, visitez le **www.smq.qc.ca**

... DANS UN PARC D'ATTRACTIONS, UN PARC AQUATIQUE OU AUTRE HAUT LIEU DE DIVERTISSEMENT !

DANS LA RÉGION DE QUÉBEC ET DE SES ENVIRONS

• **Méga Parc des Galeries de la Capitale** : Ce Méga Parc est le plus grand parc d'attractions intérieur au Québec ! Parmi les manèges et jeux qui amusent toute la famille, on compte entre autres une patinoire, une montagne russe, une grande roue, un carrousel, un mur d'escalade, un golf miniature, une arcade et deux allées de quilles. Plaisirs garantis, beau temps mauvais temps ! 5401, boul. des Galeries, Québec. **(418) 627-5800**

• **Village Vacances Valcartier** : Immense parc aquatique avec plus de 35 glissades d'eau pour toute la famille, 2 rivières thématiques et une piscine à vagues. C'est aussi un camping ultramoderne pour tentes, tentes-roulottes et motorisés. Rafting Valcartier offre également des expéditions en rafting et des excursions en luge d'eau sur la rivière Jacques-Cartier ! 1860, boul. Valcartier, Valcartier. **(418) 844-2200**

DANS LA RÉGION DE MONTRÉAL ET DE SES ENVIRONS

• **La Ronde** : Des plus hauts sommets aux aventures plus clémentes, nous avons une foule de manèges que vous pourrez apprécier en famille. Dès 2014, vous aurez la chance d'essayer le DÉMON, un nouveau manège extrême qui vous entraînera dans un tourbillon d'adrénaline et d'émotions fortes ! Île Sainte-Hélène, Montréal. **(514) 397-2000**

• **D'Arbre en Arbre** : Tyroliennes, passerelles suspendues, saut pendulaire, pont de cordes... Des jeux de plein air à consommer sans modération en famille, en groupe, entre amis. 7 parcs à travers le Québec : Shawinigan, Saint-Félicien, Mirabel, Drummondville, Lac Mégantic, Rive-Sud de Montréal et Rouyn-Noranda. Pour connaître les adresses, visitez le : **www.parcsarbreenarbre.com**.

• **SkyVenture** : Entre amis, en famille, seul ou en groupe, venez défier la loi de la gravité dans un environnement totalement sécuritaire. Ce simulateur de chute libre intérieur reproduit de façon parfaite la portion chute libre d'un saut en parachute. Notre équipe formée d'experts vous accompagnera tout au long de votre expérience. 2700, ave. du Cosmodôme, Laval. **(514) 524-4000**

• **Escalade Clip 'n Climb** : Activité palpitante proposant plus de 30 murs d'escalade thématiques avec différents niveaux de difficulté pour un divertissement sain à la portée de tous. Avec des systèmes d'assurage automatique sur tous les murs, l'escalade intérieure n'a jamais été aussi simple, accessible, sûre et amusante. Les murs comme Le gratte-ciel, La course verticale ou L'orbite permettent aux petits et grands de relever des défis sans avoir besoin d'équipements ni de formation préalable. Réservation fortement recommandée à partir du site Internet. 2929, Saint-Martin Ouest, Laval. **(450) 934-9493**

*À noter qu'il existe plusieurs autres centres d'escalades un peu partout au Québec. Informez-vous, il y en a sûrement un près de chez vous !

EN MONTÉRÉGIE

• **Fort Débrouillard** : Lieu d'aventure qui sollicite à la fois muscles et neurones, diplomatie et audace, esprit d'équipe et efforts individuels, dans un chassé-croisé de folles épreuves physiques et mentales. Il y a à Fort Débrouillard assez d'embûches et de mystères pour ravigoter votre Système D et dégourdir votre corps durant plusieurs heures. 686, Chemin Shefford, Roxton Falls. **(450) 548-5655**

• **Arbraska** : Découvrez le Tarzan qui sommeille en vous et vivez des moments palpitants en traversant nos parcours dans les arbres. Voltigez sur nos tyroliennes géantes et grimpez dans nos ponts suspendus, filets et balançoires vers des sommets d'émotions! Pour éviter toute déception, nous vous conseillons fortement de réserver vos places de 24h à 48h à l'avance : **arbraska.com/fr**
Il y a 5 parcs Arbraska au Québec : Rawdon, Rigaud, Mont St-Grégoire, Laflèche, Duchesnay.

DANS LES LAURENTIDES

• **Parc Aquatique Mont Saint-Sauveur** : Glissades sinueuses, rafting délirant, rivière relaxante, montagne russe alpine ou zone pour les petits, la tonne d'activités saura charmer tous les types de personnalités. C'est LA destination estivale par excellence pour une journée rafraîchissante ! 350, ave. Saint-Denis, Saint-Sauveur. **1 800 363-2426**

• **Great Canadian Bungee** : Le plus haut saut en Amérique du Nord ! La plate-forme de saut surplombe de 200 pieds les eaux d'un réservoir alimenté par une source naturelle. Aussi, Great Canadian Bungee vous offre le Ripride : une tyrolienne sur câble de 1015 pieds en longueur, une activité inoubliable accessible pour toute la famille. Appelez dès maintenant pour réserver votre saut! Carrière Morrison, 1780, autoroute 105, Wakefield. **1 877 828-8170**

... AU ZOO OU À L'AQUARIUM !

• **Bioparc** : Découvrez la Gaspésie et la richesse de sa nature à travers cinq écosystèmes : la baie, le barachois, la rivière, la forêt et la toundra. En parcourant le sentier de plus d'un kilomètre, partagez l'intimité d'une trentaine d'espèces animales indigènes en semi-liberté et observez plus de 70 espèces végétales dans leur écosystème respectif. 123, Rue des Vieux Ponts, Bonaventure. **(418) 534-1997**

• **Exploramer** : Parc aquarium et collection vivante de poissons et d'organismes marins du Saint-Laurent. Dans les bassins tactiles, trempez vos doigts pour toucher des mollusques, crustacés et échinodermes. Puis, montez à bord du JV Exploramer, un zodiac couvert de 18 passagers, qui permet aux visiteurs de prendre le large pour une excursion écologique en mer. 1, rue du Quai, Sainte-Anne-des-Monts. **(418) 763-2500**

DANS LE BAS ST-LAURENT

• **Station exploratoire du St-Laurent** : Une visite à la Station vous permettra de vivre une panoplie d'activités multisensorielles. Vous y découvrirez les différentes facettes de ce grand cours d'eau au cœur de nos vies : le Saint-Laurent. Oiseaux marins, baleines, phoques, requins, étoiles de mer et plus encore vous y attendent ! 80, rue MacKay, Rivière-du-Loup. **(418) 867-8796**

AUX ÎLES DE LA MADELEINE

• **Aquarium des Îles** : Venez admirer une variété d'animaux marins du Golfe St-Laurent : étoile de mer, anémone, pétoncle, palourde, crabe, homard et quantité d'autres espèces marines, ainsi que deux jeunes phoques du Groenland. 982, route 199 Havre-Aubert, Îles-de-la-Madeleine. **(418) 937-2277**

• **Centre d'interprétation du phoque** : Venez découvrir l'univers fascinant des loups-marins et les rapports que les Madelinots entretiennent avec eux. 377, route 199 Grande-Entrée, Îles-de-la-Madeleine. **(418) 985-2833**

À QUÉBEC

• **Aquarium de Québec** : Près de 10 000 spécimens à découvrir : mammifères marins, poissons, invertébrés, amphibiens et reptiles, ours blancs, morses et plusieurs espèces de phoques. Manipulez des invertébrés marins comme des étoiles de mer, des bernard-l'hermites et des oursins. Le circuit Kid Aventure offre également une piste d'hébertisme en plein air et des jeux d'eau pour les enfants. 1675, ave. Des Hôtels, Québec. **(418) 659-5264**

AU SAGUENAY – LAC-ST-JEAN

• **Zoo sauvage de St-Félicien** : Les humains en cage, les animaux en liberté! Que ce soit à pied, à bord de notre train grillagé ou en participant à l'une de nos nombreuses activités, vous serez éblouis par la diversité et par l'authenticité de notre site. Plus d'un millier d'animaux vous attendent : un face à face unique avec la nature! 2230, boul. du Jardin, Saint-Félicien. **(418) 679-0543**

DANS LA RÉGION DE MANICOUAGAN

• **Centre d'interprétation des mammifères marins** : Centre de référence et d'actualité sur les baleines du fleuve Saint-Laurent. Où peut-on les voir ? Comment les reconnaître ? Les expositions permanentes vous présentent une impressionnante collection de squelettes de baleines dont un cachalot de 13 mètres, des jeux sur ordinateur, des films exclusifs et plus encore! 108, rue de la Cale-Sèche, Tarousa. **(418) 235-4701**

DANS LES CANTONS DE L'EST

• **Zoo de Granby** : En plus de l'observation de près d'un millier d'animaux, le Zoo de Granby comprend également son parc des manèges et son parc aquatique. Toute la famille y aura du plaisir. 1050, boul. David-Bouchard, Granby. **1 877 472-6299**

• **Zoo d'oiseaux exotiques Icare** : Ce zoo est consacré exclusivement aux oiseaux : plus de 1200 oiseaux exotiques exposés dans un jardin d'inspiration orientale sur près de 2 km de sentiers, observation en volière sur un sentier paysager, volière interactive (450 oiseaux) et vente d'oiseaux sur place. 2699, Route 139, Roxton Pond. **(450) 375-6118**

DANS LA RÉGION DE MONTRÉAL ET DE SES ENVIRONS

• **Ferme des reptiles Exotarium** : Nul besoin de prendre l'avion pour se payer l'Amazonie ou la Savane africaine, jouer à Indiana Jones et découvrir des mondes étranges ! Serpents, crocodiles, lézards, grenouilles, insectes et autres animaux à sang froid se retrouvent sous un même toit. Et il y a même une fosse aux alligators... 846, Chemin Fresnière, Saint-Eustache. **(450) 472-1827**

• **Zoo Ecomuseum** : Découvrez 115 espèces d'animaux indigènes de la vallée du Saint-Laurent. Ce site enchanteur permet aux visiteurs de s'évader en pleine nature en toutes saisons. Idéal pour apprendre à connaître les animaux de chez nous : loups gris, ours noirs, lynx du Canada, renard roux, aigle royal, loutres de rivière, tortues et plusieurs autres. 21125, chemin Sainte-Marie, Sainte-Anne-de-Bellevue. **(514) 457-9449**

• **Biodôme** : Musée de l'environnement unique ! Des collections vivantes comptant plus de 230 espèces d'animaux et 750 espèces végétales sont réunies dans 4 écosystèmes des Amériques aux climats des plus variés... sous un même toit ! 4777, ave. Pierre-De Coubertin, Montréal. **(514) 868-3000**

EN MAURICIE

• **Zoo de St-Édouard-de-Maskinongé** : Paysage merveilleux parsemé de lacs et de ruisseaux. Observez plus de 85 espèces d'animaux qui y vivent en milieu naturel. 3381, route 348, Saint-Édouard-de-Maskinongé. **(819) 268-5150**

EN MONTÉRÉGIE

• **Parc Safari** : Depuis 40 ans, le Parc Safari vous fait voyager jusqu'au cœur de l'Afrique. À bord de votre véhicule, découvrez plus de 30 espèces dans un Safari de 4 km. Approchez-vous à 2 cm des lions et des tigres dans les tunnels de verre. Faites le saut dans l'Aquaparc et ses 60 jeux d'eau. Une journée remplie d'émerveillements, de plaisirs et de souvenirs pour la vie! 280, rang Roxham, Saint-Bernard-de-Lacolle. **(450) 247-2727**

EN OUTAOUAIS

• **Parc Omega** : Découvrez de nombreuses espèces d'animaux sauvages vivant en toute liberté dans leur habitat naturel. Tout en restant au volant de votre voiture, au milieu d'un site privilégié pour la photographie, vous aurez la possibilité d'écouter la station FM 90,1 afin d'en savoir plus sur ces animaux et leurs habitudes. Sentiers pédestres, boutique, casse-croûte, aires de pique-nique et animations saisonnières pourront agrémenter votre visite. 399, Route 323 Nord, Montebello. **(819) 423-5487**

... DANS UN CENTRE DE MINI-GOLF !

DANS LES CANTONS DE L'EST

• **Le Rigolfeur et lance balle de Granby**. 1586, rue Principale, Granby. **(450) 777-4613**

• **Fun Putt**. 1345, rue Principale, Granby. **(450) 777-0304**

• **Centre Du Golf Bedford**. 50, Victoria Sud, Bedford. **(450) 248-0280**

• **Fun Putt Fleurimont**. 1641, chemin Duplessis, Sherbrooke. **(819) 829-1866**

DANS LE BAS ST-LAURENT

• **Casse-Croûte Mini-Putt**. 60, rue Fraser, Rivière-du-Loup. **(418) 862-8448**

DANS LE CENTRE DU QUÉBEC

• **Mini-Golf Saint-Nicéphore**. 4519-D, boul. Saint-Joseph, Drummondville. **(819) 477-5942**

À CHARLEVOIX

• **Camping au Bord de la Rivière**. 1520, boul. de Comporté, La Malbaie. **(418) 665-4991**

DANS LA RÉGION DE QUÉBEC ET DE SES ENVIRONS

• **Swing De Golf Inc.** 140, rue du Vallon Ouest, Lévis. **(418) 838-0030**

• **Rigolfeur Beauport**. 305, rue Seigneuriale, Québec. **(418) 664-0537**

• **Mini-Putt Beauport**. 156, rue Seigneuriale, Québec. **(418) 667-7668**

• **Rigolfeur Galeries de la Capitale**. 5401, boul. des Galeries, Québec. **(418) 624-6661**

- **Fun Putt Vanier**. 420, boul. Wilfrid Hamel, Québec. **(418) 688-3354**

- **Mini-Putt de Neufchatel**. 9115, boul. de l'Ormière, Québec. **(418) 845-1148**

- **Bar Laitier & Mini-Golf L'Étang**. 7755, rue des Métis, Québec. **(418) 628-5111**

AUX ÎLES-DE-LA-MADELEINE

- **Chalets-Camping Mini-Putt Des Sillons**. 436, chemin de la Dune-du-Sud, Havre-aux-Maisons. **(418) 969-2134**

DANS LANAUDIÈRE

- **Rigolfeur Repentigny**. 80, boul. Brien, Repentigny. **(450) 582-5278**

- **Mini-Putt Terrebonne**. 4525, boul. de Hauteville, Terrebonne. **(450) 492-3313**

DANS LES LAURENTIDES

- **Mini golf Les Floralies**. 929, route 117, Val-David. **(819) 322-1244**

- **Mini Golf De Blainville**. 360, boul. de la Seigneurie Ouest, Blainville. **(450) 437-9672**

- **Rigolfeur Saint-Jérôme**. 870, montée Sainte-Thérèse, Saint-Jérôme. **(450) 438-8100**

- **Mini-Golf Le petit Géant**. Village Tremblant, Mont-Tremblant. **1 888 243-6836**

- **Rigolfeur Sainte-Thérèse**. 300, rue Sicard, Sainte-Thérèse. **(450) 434-5678**

DANS LA RÉGION DE MONTRÉAL ET DE SES ENVIRONS

- **Golf Miniature Fabreville**. 3315, boul. Sainte-Rose, Laval. **(450) 625-4752**

- **Rigolfeur & Mini-Putt Versailles**. 7220, rue Sherbrooke Est, Montréal. **(514) 252-7372**

- **Golf-Cité**. 100, chemin de la Pointe Nord, Verdun. **(514) 769-7770**

- **Mini Golf Puttputt**. 16645, boul. Pierrefonds, Pierrefonds. **(514) 624-7666**

- **Le Rigolfeu**r. 13480, rue Sherbrooke Est, Pointe-aux-Trembles. **(514) 498-7333**

- **Le Dôme De West Island Inc.** 3000, rue Edmond, Kirkland. **(514) 695-4587**

- **Le Rigolfeur Boucherville**. 30, Des Frères Lumière, Boucherville. **(450) 641-6668**

- **Mini-Golf De Boucherville**. 502, chemin du Lac, Boucherville. **(450) 449-5430**

- **Le Rigolfeur Longueuil**. 800, Curé Poirier Est, Longueuil. **(450) 647-4727**

- **Mini Putt Delson**. 10, rue Principale Nord, Delson. **(450) 635-0356**

- **Cascades Golf**. 525, chemin de Saint-Jean, La Prairie. **(450) 444-4350**

- **Mini-Put Longueuil 2005**. 3560, chemin de Chambly, Longueuil. **(450) 646-1163**

- **Mini-Putt Sainte Julie**. 210, boul. Armand Frappier, Sainte-Julie. **(450) 649-8190**

- **Golf Saint-Lazare**. 420, route de la Cité-des-Jeunes, Saint-Lazare. **(450) 424-3687**

EN MAURICIE

- **Club De Golf Les Rivières Inc**. 6500, boul. des Forges, Trois-Rivières. **(819) 378-7871**

- **Fun Putt Trois-Rivières**. 315, rue Barkoff, Trois-Rivières. **(819) 371-9740**

EN OUTAOUAIS

- **Le Rigolfeur Gatineau**. 1870, boul. Maloney Est, Gatineau. **(819) 643-5376**

- **Camping Petit Lac & Beach Resort**. 61, route 105, Messines. **(819) 465-2622**

AU SAGUENAY-LAC-ST-JEAN

- **Le Rigolfeur Chicoutimi**. 1611, boul. Talbot, Chicoutimi. **(418) 690-2121**

- **Le Rigolfeur Saint-Félicien**. 2223, boul. du Jardin, Saint-Félicien. **(418) 630-2223**

- **Club de golf Le Ricochet**. 1471, boul. Saguenay Est, Chicoutimi. **(418) 693-8221**

LISTE COMPLÈTE DES MISSIONS

COCHEZ VOTRE MISSION UNE FOIS CELLE- CI ACCOMPLIE

Gouvernement du Québec – Programme de crédit d'impôt
pour l'édition de livres – Gestion Sodec

info@lesmalins.ca

Éditeur : Marc-André Audet
Directrice littéraire : Katherine Mossalim
Texte et illustrations : Annie Groovie
Correcteurs : Chantale Genet, Elyse-Andrée Héroux, Pierre-Yves Villeneuve
Conception graphique/montage : Shirley de Susini
Crédits image : Shutterstock

Dépôt légal – Bibliothèque et Archives nationales du Québec, 2014
Dépôt légal – Bibliothèque et Archives Canada, 2014

ISBN: 978-2-89657-260-1

Imprimé en Chine.

Nous reconnaissons l'aide financière du gouvernement du Canada
par l'entremise du Fonds du livre du Canada pour nos activités d'édition.

Les éditions les Malins inc.
Montréal, Québec

CHOIX TATOUAGES NATURELS

CHOIX TATOUAGES NATURELS